CHINESE MADE EASY

1 Workbook

Traditional Characters Version

輕鬆學漢語 (練習冊)

Yamin Ma
Xinying Li

Joint Publishing (H.K.) Co., Ltd.
三聯書店（香港）有限公司

Chinese Made Easy *(Workbook 1)*

Yamin Ma, Xinying Li

Editor	Chen Cuiling, Luo Fang
Art design	Arthur Y. Wang, Yamin Ma, Xinying Li
Cover design	Arthur Y. Wang, Amanda Wu
Graphic design	Amanda Wu
Typeset	Lin Minxia, Zhou Min

Published by
JOINT PUBLISHING (H.K.) CO., LTD.
Rm. 1304, 1065 King's Road, Quarry Bay, Hong Kong

Distributed in Hong Kong by
SUP PUBLISHING LOGISTICS (HK) LTD.
3/F., 36 Ting Lai Road, Tai Po, N.T., Hong Kong

First published July 2001
Second edition, first impression, August 2006
Second edition, fourth impression, August 2011

Copyright ©2001, 2006 Joint Publishing (H.K.) Co., Ltd.

You can contact us via the following:
Tel: (852) 2525 0102, (86) 755 8343 2532
Fax: (852) 2845 5249, (86) 755 8343 2527
Email: publish@jointpublishing.com
http://www.jointpublishing.com/cheasy/

輕鬆學漢語 *(練習冊一)*

編　　著	馬亞敏　李欣穎	
責任編輯	陳翠玲　羅　芳	
美術策劃	王　宇　馬亞敏　李欣穎	
封面設計	王　宇　吳冠曼	
版式設計	吳冠曼	
排　　版	林敏霞　周　敏	

出　　版	三聯書店（香港）有限公司
	香港鰂魚涌英皇道1065號1304室
香港發行	香港聯合書刊物流有限公司
	香港新界大埔汀麗路36號3字樓
印　　刷	中華商務彩色印刷有限公司
	香港新界大埔汀麗路36號14字樓
版　　次	2001年7月香港第一版第一次印刷
	2006年8月香港第二版第一次印刷
	2011年8月香港第二版第四次印刷
規　　格	大16開 (210 x 280mm) 200面
國際書號	ISBN 978-962-04-2595-0

©2001, 2006 三聯書店（香港）有限公司

CONTENTS　目　錄

第一單元　你好

第一課　你好

1 Match the Chinese with the English.

(1) 好 *hǎo*　　(a) you

(2) 早 *zǎo*　　(b) good; well

(3) 你 *nǐ*　　(c) you (respectfully)

(4) 再 *zài*　　(d) see

(5) 您 *nín*　　(e) again

(6) 見 *jiàn*　　(f) morning

2 Translation.

(1) 好 *hǎo*　____good; well____

(2) 早 *zǎo*　_____

(3) 你 *nǐ*　_____

(4) 您 *nín*　_____

(5) 你好 *nǐ hǎo*　_____

(6) 再見 *zài jiàn*　_____

3 Fill in the bubbles with the captions in the box.

(a) 你好! *nǐ hǎo*　(b) 您好! *nín hǎo*　(c) 你早! *nǐ zǎo*

(d) 您早! *nín zǎo*　(e) 再見! *zài jiàn*

1

4 Translation.

(1) you 你

(2) morning 早

(3) good; well 好

(4) you (respectfully) 您

(5) hello 你好

(6) good-bye 再見

(7) good morning (respectfully)
您早

(8) again 再

(9) see 見

5 Write the dialogue in Chinese.

Hello, Dan!

Bye!

Hi, Mary!

Good-bye!

Mary: 您好, Dan!

Dan: 你好, Mary!

Mary: 再見!

Dan: 再見

6 Dismantle the characters into parts.

(1) nǐ 你 亻 尔

(2) nín 您 亻 尔 心

(3) zǎo 早 日 十

(4) hǎo 好 女 子

7 Transcribe the pinyin into Chinese characters.

(1) nǐhǎo 你好

(2) nínzǎo 您好

(3) zàijiàn 再見

生 字

nǐ you	ノ 亻 亻 亻 你 你 你										
	你	你	你	你	你	你	你	你	你	你	
hǎo good; well	く 女 女 女 好 好										
	好	好	好	好	好	好	好	好	好	好	
nín you (respectfully)	ノ 亻 亻 你 你 你 你 您 您 您										
	您	您	您	您	您	您	您	您	您	您	
zǎo early; morning	丶 口 日 日 旦 早										
	早	早	早	早	早	早	早	早	早	早	
zài again	一 厂 冂 币 币 再 再										
	再	再	再	再	再	再	再	再	再	再	
见 **jiàn** see	丨 冂 冂 目 目 貝 見										
	見	見	見	見	見	見	見	見	見	見	

偏旁部首(一)

	ノ　ケ								
sleeping person	ケ								
	ノ　イ								
standing person	イ								
	ノ　人								
stretching person	人								
	ノ　彳　彳								
two people	彳								
	ヽ　ハ　少　父								
father	父								
	一　二　干　王								
king	王								
	一　十　土								
soil	土								
	一　十　士								
scholar	士								
	丨　屮　山								
mountain	山								

第二課　你好嗎

1 Circle the correct pinyin.

(1) 謝　(a) xiè　(b) xèi

(2) 錯　(a) cuò　(b) chuò

(3) 很　(a) hěn　(b) hěng

(4) 還　(a) héi　(b) hái

(5) 再　(a) zhài　(b) zài

(6) 您　(a) nín　(b) níng

(7) 也　(a) yě　(b) yiě

(8) 早　(a) zhǎo　(b) zǎo

2 Fill in the blanks with the words in the box.

ma	cuò	hǎo	zǎo	yě	jiàn
嗎	錯	好	早	也	見

nǐ hǎo
(1) A: 你好 ＿＿＿嗎＿＿＿ ？

bú
B: 不 ＿＿＿＿＿＿ 。

nǐ zǎo
(2) A: 你早！

nǐ
B: 你 ＿＿＿＿＿＿ ！

zài jiàn
(3) A: 再見！

zài
B: 再 ＿＿＿＿＿＿ ！

nǐ　　　　　　ma
(4) A: 你 ＿＿＿＿＿＿ 嗎？

wǒ hěn hǎo　　nǐ ne
B: 我很好。你呢？

wǒ　　　　hěn hǎo
A: 我 ＿＿＿＿＿＿ 很好。

3 Dismantle the characters into parts.

nǐ
(1) 你 ＿＿＿＿＿

hǎo
(2) 好 ＿＿＿＿＿

zǎo
(3) 早 ＿＿＿＿＿

cuò
(4) 錯 ＿＿＿＿＿

hěn
(5) 很 ＿＿＿＿＿

xiè
(6) 謝 ＿＿＿＿＿ ＿＿＿＿＿

hái
(7) 還 ＿＿＿＿＿

ne
(8) 呢 ＿＿＿＿＿

4 Finish the dialogues in Chinese.

(1) A: nǐ hǎo 你好!

B: 你好 _____!

(2) A: nǐ zǎo 你早!

B: _____!

(3) A: zài jiàn 再見!

B: _____!

(4) A: nǐ hǎo ma 你好嗎?

B: _____。

(5) A: _____?

B: wǒ hěn hǎo 我很好。 nǐ ne 你呢?

(6) A: nǐ hǎo ma 你好嗎?

B: bú cuò 不錯。 _____?

A: hái kě yǐ 還可以。

(7) A: nín hǎo 您好!

B: _____!

5 Match the Chinese with the English.

(1) bù hǎo 不好   (a) very early

(2) hěn zǎo 很早   (b) very bad

(3) hěn bù hǎo 很不好   (c) not bad

(4) bù zǎo 不早   (d) not good

(5) hái hǎo 還好   (e) not early

(6) bù hěn hǎo 不很好   (f) not at all

(7) bú xiè 不謝   (g) thank you

(8) xiè xiè nǐ 謝謝你   (h) not very good

6 Translation.

(1) Not bad. _____

(2) OK. _____

(3) How are you ? _____

(4) How about you ? _____

(5) I'm also very well. _____

(6) Good-bye ! _____

(7) Thank you. _____

7 Transcribe the pinyin into Chinese characters.

(1) nǐhǎo ma _____

(2) búcuò _____

(3) wǒ hěnhǎo _____

(4) nǐ ne _____

(5) hái kěyǐ _____

(6) wǒ yě hěnhǎo _____

(7) xièxie _____

(8) zàijiàn _____

8 Answer the question.

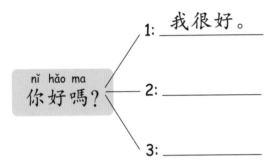

nǐ hǎo ma
你好嗎?

1: 我很好。

2: _____

3: _____

9 Correct the mistakes.

(1) 你 nǐ ____你____

(2) 甲 zǎo _____

(3) 错 cuò _____

(4) 很 hěn _____

(5) 再貝 zài jiàn _____

(6) 您 nín _____

(7) 谢 xiè _____

10 Find the phrases. Write them out.

也	不	錯
您	很	早
你	好	嗎

(1) _____你好_____

(2) _____

(3) _____

(4) _____

(5) _____

(6) _____

生字

ma particle	嗎	⺈ ⺈ 口 叮 叮 叮 叮 咔 嗎 嗎 嗎 嗎 嗎	
bù not; no	不	一 ㄱ 才 不	
cuò mistake; bad	錯	㇒ ㇒ ⺈ ⺈ 牟 余 余 金 金 釒 釒 鉗 鉗 錯 錯 錯 錯	
hái also; fairly	還	㇒ ㇆ 罒 罒 罒 罒 罒 罘 罘 罘 罘 睘 睘 還 還	
kě can; may	可	一 ㇂ ㇁ ㇁ 口 可	
yǐ use; take	以	㇄ ㇄ 以 以	
wǒ I; me	我	㇒ 一 二 チ 手 我 我 我	
hěn very; quite	很	㇒ ㇒ ㇒ 彳 彳 彳 彳 很 很 很	
xiè thank	謝	㇒ ㇊ 二 言 言 言 言 訂 訂 訌 謝 謝 謝 謝 謝 謝	
ne particle	呢	㇒ ㇆ 口 口 叮 叩 呢 呢	
yě also; as well	也	㇄ ㇆ ㇃ 也	

偏旁部首(二)

		丶	忄	忄								
feeling	忄											
		丶	心	心	心							
heart	心											
		丶	丨	冂	口							
mouth	口											
		丶	丷	丷	坴	丷	乄	羊	羊			
sheep	羊											
		丶	丨	冂	口	甲	甲	乸	足			
foot	足											
		丶	二	三	言	言	言	言				
speech	言											
		丿	人	乍	乍	乍	牟	余	余	金		
metal	金											
		丿	人	乍	乍	乍	乍	乍	食	食		
food	食											
		乚	幺	幺	幺	幺	糸	糸				
silk	糸											

第三课　你是我的好朋友

1 Match the numbers in row A with the ones in row B.

Ⓐ

(1) 12　　　　(2) 40　　　　(3) 54　　　　(4) 78　　　　(5) 66　　　　(6) 98

Ⓑ

wǔ shí sì 　 qī shí bā 　 liù shí liù 　 sì shí 　 jiǔ shí bā 　 shí èr

(a) 五十四　(b) 七十八　(c) 六十六　(d) 四十　(e) 九十八　(f) 十二

2 Count and then write the numbers in Chinese.

Example　五

❶

❷

❸

❹

❺

3   Write the numbers in Chinese.

(1) 16   十六

(2) 20 _____

(3) 39 _____

(4) 50 _____

(5) 65 _____

(6) 73 _____

(7) 88 _____

(8) 90 _____

(9) 94 _____

(10) 99 _____

4   Translation.

(1) How are you?

(2) I'm very well. How about you ?

(3) Hello!

(4) Good morning!

(5) Good-bye!

(6) Not bad.

(7) Pretty good.

(8) I am also very well.

(9) Thanks!

(10) You are my friend.

5   Translate the telephone numbers into Chinese.

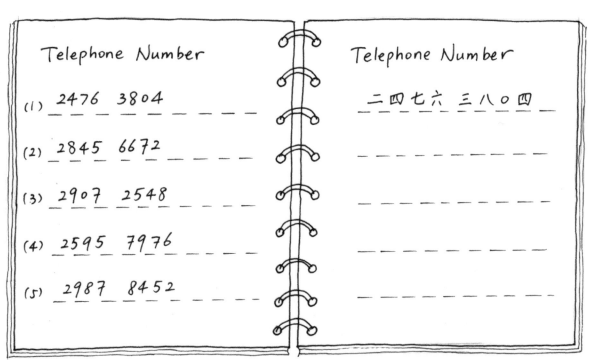

Telephone Number

(1) 2476 3804   二四七六 三八〇四

(2) 2845 6672

(3) 2907 2548

(4) 2595 7976

(5) 2987 8452

Telephone Number

生字

		ヽ	口	曰	日	旦	早	旱	昰	是	
shì be	是										
		′	亻	白	白	白	白′	的	的		
de of; 's	的										
		丿	刀	月	月	朋	朋	朋	朋		
péng friend	朋										
		一	ナ	方	友						
yǒu friend	友										
		丨	冂	冚	四	四					
sì four	四										
		一	丆	五	五						
wǔ five	五										
		丶	二	六	六						
liù six	六										
		一	七								
qī seven	七										
		丿	八								
bā eight	八										
		丿	九								
jiǔ nine	九										
		一	十								
shí ten	十										

偏旁部首(三)

		丨 冂 月 日									
sun	日										
		丿 亻 勹 白 白									
white	白										
		丨 冂 月 月 目									
eye	目										
		丿 刀 月 月									
flesh	月										
		丨 冂 冃 用 田									
field	田										
		丶 冫 氵									
water	氵										
		丶 丷 灬 灬									
fire	灬										
		一 厂 冖 帀 雨 雫 雫 雨									
rain	雨										
		丿 勹 夕									
sunset	夕										

第四課　今天是幾月幾號

1 Write the numbers in Chinese.

(1) 7 _____   (6) 41 _____

(2) 10 _____   (7) 53 _____

(3) 12 _____   (8) 69 _____

(4) 24 _____   (9) 78 _____

(5) 35 _____   (10) 99 _____

2 Match the Chinese with the English.

bā yuè sān hào
(1) 八月三號   (a) July 12

xīng qī rì
(2) 星期日   (b) Wednesday

qī yuè shí èr hào
(3) 七月十二號   (c) Sunday

xīng qī sān
(4) 星期三   (d) August 3

shí èr yuè shí hào
(5) 十二月十號   (e) December 10

3 Write the following dates in Chinese.

Example

二月二十八號，

星期一

①

_____

③

_____

②

_____

④

_____

4 Write the missing dates in Chinese. Finish the dialogues.

二〇〇一年　一月

星期日	星期一	星期二	星期三	星期四	星期五	星期六
	一		三	四		
七		今天	十			
	十五					二十
二十一					二十六	
	二十九		三十一			

(1) A: 今天是幾月幾號？
jīn tiān shì jǐ yuè jǐ hào

B: 今天是一月九號。
jīn tiān shì

(2) A: 昨天是幾月幾號？
zuó tiān shì jǐ yuè jǐ hào

B:＿＿＿＿＿＿＿＿＿＿

(3) A: 明天是幾月幾號？
míng tiān shì jǐ yuè jǐ hào

B:＿＿＿＿＿＿＿＿＿＿

(4) A: 今天星期幾？
jīn tiān xīng qī jǐ

B:＿＿＿＿＿＿＿＿＿＿

5 Write the dates in Chinese.

(1) New Year's Day

一月一號
＿＿＿＿＿＿＿＿＿＿

(2) your mother's birthday

＿＿＿＿＿＿＿＿＿＿

(3) the name of this month

＿＿＿＿＿＿＿＿＿＿

(4) today's date

＿＿＿＿＿＿＿＿＿＿

(5) Which months have 30 days ?

＿＿＿＿＿＿＿＿＿＿

(6) Which month has 28 / 29 days ?

＿＿＿＿＿＿＿＿＿＿

(7) What day follows Thursday ?

＿＿＿＿＿＿＿＿＿＿

(8) What day will it be tomorrow ?

＿＿＿＿＿＿＿＿＿＿

(9) If today is February 3, what date was yesterday ?

＿＿＿＿＿＿＿＿＿＿

生字

	ノ 人 个 今											
jīn today	今											
	一 二 于 天											
tiān today	天											
	⺈ 幺 幺 纟 丝 丝 丝 丝 丝 糸 幾 幾 幾											
jǐ how many	幾											
	ノ 刀 月 月											
yuè the moon; month	月											
	丶 丶 口 吕 号 号 号 号 驴 驴 號 號 號											
hào number; date	號											
	丶 丶 口 日 日 尸 旦 尽 星 星											
xīng star	星											
	一 十 卄 卄 甘 其 其 期 期 期 期											
qī a period of time	期											
	丨 冂 月 日 日 旷 昨 昨 昨											
zuó yesterday	昨											
	丨 冂 月 日											
rì sun; day	日											
	丨 冂 月 日 日 明 明 明											
míng bright; clear	明											

偏旁部首(四)

	一 厂									
cliff	厂									
	、 一 广									
shelter	广									
	′ 厂 刀 月 月 角									
boat	角									
	一 厂 厂 F 乍 馬 馬 馬 馬 馬									
horse	馬									
	刁 力									
strength	力									
	一 十 扌									
hand	扌									
	丨 刂									
knife	刂									
	⁊ 了 子									
son	子									
	⁊ ⁊ 弓									
bow	弓									

第五課　你叫什麼名字

1　Finish the dialogues with the sentences given.

(1) A: 你好嗎？
    nǐ hǎo ma

    B: ____我很好。____你呢？
               nǐ ne

    A: _____

(3) A: 你叫什麼名字？
    nǐ jiào shén me míng zi

    B: _____你呢？
               nǐ ne

    A: _____再見！
               zài jiàn

    B: _____

(2) A: 你姓什麼？
    nǐ xìng shén me

    B: _____你呢？
               nǐ ne

    A: _____

再見！ *zài jiàn*	我姓李。 *wǒ xìng lǐ*
我很好。 *wǒ hěn hǎo*	我也很好。 *wǒ yě hěn hǎo*
我叫李山。 *wǒ jiào lǐ shān*	我叫王月。 *wǒ jiào wáng yuè*
我姓王。 *wǒ xìng wáng*	

2　Find the missing word.

zì 字	*nǐ* 你	*hǎo* 好	*jiàn* 見	*xiè* 謝
me 麼	*bù* 不	*kě yǐ* 可以	*péng* 朋	*zǎo* 早

(1) 什 __麼__
    shén

(2) 名 _____
    míng

(3) 你 _____
    nǐ

(4) 謝 _____
    xiè

(5) _____錯
    cuò

(6) 你 _____
    nǐ

(7) 再 _____
    zài

(8) 還 _____
    hái

(9) _____呢
    ne

(10) _____友
    you

3　Translation.

(1) 你叫什麼名字？
    nǐ jiào shén me míng zi

(2) 他姓什麼？
    tā xìng shén me

(3) 她的名字叫王月。
    tā de míng zi jiào wáng yuè

(4) 他姓馬。我也姓馬。
    tā xìng mǎ　*wǒ yě xìng mǎ*

(5) 李山是我的好朋友。
    lǐ shān shì wǒ de hǎo péng you

(6) 昨天是星期五。
    zuó tiān shì xīng qī wǔ

(7) 今天是八月九號。
    jīn tiān shì bā yuè jiǔ hào

18

4 Dismantle the characters into parts.

ma
(1) 嗎 ___ ___

hěn
(7) 很 ___ ___

péng
(2) 朋 ___ ___

nín
(8) 您 ___ ___ ___

tā
(3) 她 ___ ___

xiè
(9) 謝 ___ ___ ___

tā
(4) 他 ___ ___

xìng
(10) 姓 ___ ___

zì
(5) 字 ___ ___

shén
(11) 什 ___ ___

cuò
(6) 錯 ___ ___

lǐ
(12) 李 ___ ___

5 Translation.

(1) How are you ?

(2) What is your surname ?

(3) What is your name ?

(4) Not bad.

(5) OK.

(6) He is my friend.

(7) Thanks.

(8) Good-bye !

6 Finish the dialogues in Chinese.

nǐ hǎo ma
(1) A: 你好嗎？

B: _____。你呢？

A: _____。

(2) A: _____？

wǒ xìng mǎ
B: 我姓馬。

(3) A: _____？

tā jiào wáng yuè
B: 她叫王月。

(4) A: _____？

wǒ xìng lǐ
B: 我姓李。_____？

wǒ yě xìng lǐ
A: 我也姓李。

7 Answer the following questions.

nǐ hǎo ma
(1) 你好嗎？

nǐ xìng shén me
(2) 你姓什麼？

nǐ jiào shén me míng zi
(3) 你叫什麼名字？

jīn tiān shì jǐ yuè jǐ hào
(4) 今天是幾月幾號？

jīn tiān xīng qī jǐ
(5) 今天星期幾？

zuó tiān shì jǐ yuè jǐ hào
(6) 昨天是幾月幾號？

míng tiān xīng qī jǐ
(7) 明天星期幾？

8   Ask a question for each answer.

(1) A: <u>今天是幾月幾號</u>？

jīn tiān shì shí yī yuè shí hào
B: 今天是十一月十號。

(2) A: _____?

jīn tiān xīng qī wǔ
B: 今天星期五。

(3) A: _____?

zuó tiān xīng qī sì
B: 昨天星期四。

(4) A: _____?

míng tiān xīng qī liù
B: 明天星期六。

9   Write the pinyin for the following numbers.

(1) 一 __yī__

(2) 二 ____

(3) 三 ____

(4) 四 ____

(5) 五 ____

(6) 六 ____

(7) 七 ____

(8) 八 ____

(9) 九 ____

(10) 十 ____

10   Fill in the missing numbers.

shí yī   shí èr   shí sì
(1) 十一、十二、_____、十四

shí wǔ   shí liù   shí qī
(2) 十五、十六、十七、_____

sān shí   sān shí yī
(3) 三十、三十一、_____

sì shí jiǔ   wǔ shí yī
(4) 四十九、_____、五十一

bā shí èr   bā shí sì
(5) 八十二、_____、八十四

bā shí jiǔ   jiǔ shí yī
(6) 八十九、_____、九十一

liù shí bā   liù shí jiǔ
(7) 六十八、六十九、_____

11   Transcribe the pinyin into Chinese characters.

(1) péngyou _____

(2) wǒ de _____

(3) xìng _____

(4) shénme _____

(5) míngzi _____

(6) lǐ shān _____

(7) wáng yuè _____

(8) mǎ _____

生字

		ㆍ ㅁ ㅁ ㅁㄴ 叫								
jiào call	叫									
		㇒ ㇒ 亻 仁 什								
shén what	什									
		、 一 广 广 庐 庐 庐 庐 麻 麻 麼 麼 麼								
me	麼									
		㇒ ㇑ 夕 夕 名 名								
míng name	名									
		、 丷 宀 宁 字								
zì character; word	字									
		ㄴ ㄣ 女 如 妯 她								
tā she; her	她									
		ㄴ ㄣ 女 女 妕 妕 姓 姓								
xìng surname	姓									
		一 厂 F F 馬 馬 馬 馬 馬								
mǎ horse; surname	馬									
		㇒ 亻 仁 仲 他								
tā he; him	他									
		一 十 オ 木 本 李 李								
lǐ plum; surname	李									

偏旁部首(五)

		一 十 才 木						
tree; wood	木							
		´ 二 千 禾 禾						
crops	禾							
		一 十 艹						
grass	艹							
		ノ ト ⺊ ⺮ ⺮ 竹						
bamboo	竹							
		一 ナ 大						
big	大							
		丨 小 小						
small	小							
		丶 氵 辶						
movement	辶							
		了 阝						
ear	阝							
		丶 二 宀 立 立						
stand	立							

第六課　他住在哪兒

1 Finish the dialogues in Chinese.

(1) A: nǐ shì nǎ guó rén
你是哪國人？（中國人）zhōng guó rén

B: 我是中國人。

(2) A: tā shì nǎ guó rén
他是哪國人？（日本人）rì běn rén

B: _____。

(3) A: tā zhù zài nǎr
她住在哪兒？（西安）xī ān

B: _____。

(4) A: tā zhù zài nǎr
他住在哪兒？（北京）běi jīng

B: _____。

(5) A: nǐ péngyou shì nǎ guó rén
你朋友是哪國人？（中國人）zhōng guó rén

B: _____。

(6) A: nǐ péngyou zhù zài nǎr
你朋友住在哪兒？（香港）xiāng gǎng

B: _____。

(7) A: tā péngyou zhù zài nǎr
她朋友住在哪兒？（上海）shàng hǎi

B: _____。

2 Write a few sentences based on the information given.

Example

他叫李海。
他住在西安。
他是中國人。

lǐ hǎi　　tā
李海（他）
xī ān
西安
zhōng guó rén
中國人

1

wáng yuè　　tā
王月（她）
shàng hǎi
上海
zhōng guó rén
中國人

2

wáng ān　　tā
王安（他）
xiāng gǎng
香港
zhōng guó rén
中國人

23

3   Give the meanings of the radicals. Find a word for each radical.

(1) 口   ___mouth___   嗎   (6) 月 _____   _____

(2) 氵 _____   _____   (7) 夕 _____   _____

(3) 辶 _____   _____   (8) 木 _____   _____

(4) 白 _____   _____   (9) 言 _____   _____

(5) 彳 _____   _____   (10) 金 _____   _____

4   Translation.

(1) How are you ?

(2) I am very well.

(3) Not bad.

(4) What is your surname ?

(5) What is your name ?

(6) She is my friend.

(7) Where do you live ?

(8) What is your nationality ?

(9) What day is today ?

5   Answer the questions according to the calendar.

十月						
日	一	二	三	四	五	六
今天	1	2	3	4	5	6
7	8	9	10	11	12	13
14	15	16	17	18	19	20
21	22	23	24	25	26	27
28	29	30	31			

jīn tiān jǐ yuè jǐ hào
(1) 今天幾月幾號? _____。

jīn tiān xīng qī jǐ
(2) 今天星期幾? _____。

zuó tiān jǐ hào
(3) 昨天幾號? _____。

zuó tiān xīng qī jǐ
(4) 昨天星期幾? _____。

míng tiān jǐ hào
(5) 明天幾號? _____。

míng tiān xīng qī jǐ
(6) 明天星期幾? _____。

6 Fill in the blanks with the words in the box.

shénme	jǐ	nǎr	ma	nǎ
什麼	幾	哪兒	嗎	哪

(1) 你叫 _____ 名字？
　nǐ jiào　　　　míng zi

(2) 你是 _____ 國人？
　nǐ shì　　　guó rén

(3) 你住在 _____？
　nǐ zhù zài

(4) 今天星期 _____？
　jīn tiān xīng qī

(5) 你姓 _____？
　nǐ xìng

(6) 你好 _____？
　nǐ hǎo

(7) 明天星期 _____？
　míng tiān xīng qī

7 Transcribe the pinyin into Chinese characters.

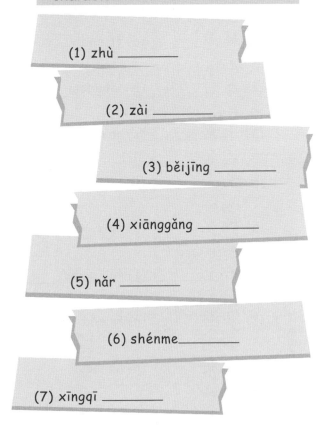

(1) zhù _____

(2) zài _____

(3) běijīng _____

(4) xiānggǎng _____

(5) nǎr _____

(6) shénme _____

(7) xīngqī _____

8 Fill in the blanks in Chinese.

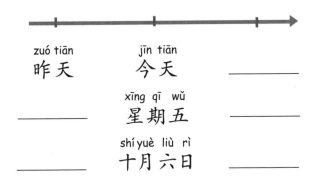

zuó tiān	jīn tiān	
昨天	今天	_____

	xīng qī wǔ	
_____	星期五	_____

	shí yuè liù rì	
_____	十月六日	_____

9 Match the Chinese with the English.

(1) 他很友好。　(a) He is a good person.
　tā hěn yǒu hǎo

(2) 他是好人。　(b) Shanghai is in China.
　tā shì hǎo rén

(3) 他是北京人。　(c) Good morning!
　tā shì běi jīng rén

(4) 上海在中國。　(d) He is very friendly.
　shàng hǎi zài zhōng guó

(5) 早上好！　(e) He is from Beijing.
　zǎo shang hǎo

10 Study the following pairs of phrases.

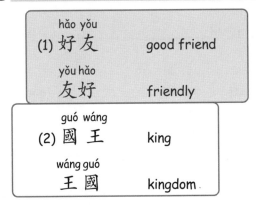

(1) 好友　good friend
　hǎo yǒu
　友好　friendly
　yǒu hǎo

(2) 國王　king
　guó wáng
　王國　kingdom
　wáng guó

(3) 上海　Shanghai
　shàng hǎi
　海上　at the sea
　hǎi shang

(4) 人名　name
　rén míng
　名人　celebrity
　míng rén

11   Match the Chinese with the English.

guó wáng
(1) 國王   (a) friendly

yǒu hǎo
(2) 友好   (b) kingdom

wáng guó
(3) 王國   (c) good morning

zǎo ān
(4) 早安   (d) King

xìng míng
(5) 姓名   (e) early morning

zǎo shang
(6) 早上   (f) full name

hǎi gǎng
(7) 海港   (g) friend

hǎo yǒu
(8) 好友   (h) harbour

míng rén
(9) 名人   (i) good friend

yǒu rén
(10) 友人   (j) a huge crowd

hǎo rén
(11) 好人   (k) celebrity

rén hǎi
(12) 人海   (l) good person

hǎi mǎ
(13) 海馬   (m) sea horse

12   Finish the sentences.

nǐ shì
(1) 你是___哪國人___? (what nationality)

tā zhù zài
(2) 她住在_____。 (Beijing)

tā yě shì
(3) 他也是_____。 (Japanese)

wǒ shì
(4) 我是_____。(Chinese)

tā zhù zài
(5) 她住在_____? (where)

wǒ zhù zài
(6) 我住在_____。 (Hong Kong)

nǐ péngyou shì
(7) 你朋友是_____? (what nationality)

tā jiào
(8) 他叫_____。 (Li Shan)

tā péngyou zhù zài
(9) 他朋友住在_____。 (Shanghai)

tā shì
(10) 他是_____。 (Beijing person)

nǐ xìng
(11) 你姓_____? (what)

tā jiào
(12) 他叫_____? (what name)

wǒ yě
(13) 我也_____。 (very well)

tā shì wǒ de
(14) 她是我的_____。 (good friend)

nǐ péngyou zhù zài
(15) 你朋友住在_____? (where)

生 字

		ノ　イ　彳　亻　仁　仨　住　住								
zhù live; reside	住									
		一　ナ　才　在　在　在								
zài in; on	在									
		丶　丨　口　口　叮　吲　吲　哪　哪								
nǎ which; what	哪									
		ノ　亻　乍　白　白　白　臼　兒								
ér child; son; suffix	兒									
		丶　丨　冂　口　中								
zhōng middle; centre	中									
		丨　冂　冂　冂　同　同　同　國　國　國　國								
guó country; kingdom	國									
		ノ　人								
rén person; people	人									
		丨　十　才　北　北								
běi north	北									
		丶　一　六　六　古　亨　京　京								
jīng capital	京									
		丨　卜　上								
shàng up; previous; attend	上									
		丶　丶　氵　氵　汇　汇　海　海　海　海								
hǎi sea	海									

生字

		一 厂 厅 丙 两 西							
xī west	西								
		丶 丷 宀 宁 安 安							
ān safe	安								
		一 十 才 木 本							
běn root; origin	本								
		丿 二 千 禾 禾 乔 香 香							
xiāng fragrant	香								
		丶 丶 氵 氵 氵 沣 沣 洪 洪 港 港							
gǎng habour	港								

偏旁部首(六)

	フ 又										
again	又										
	フ ㇗ 尸 欠										
owe	欠										
	丶 一 亍 方										
square	方										
	く 女 女										
female	女										
	丶 冖										
roof without chimney	冖										
	丶 丷 宀										
roof with chimney	宀										
	丨 冂										
border	冂										
	丨 冂 冃 冃 冃 門 門 門										
door	門										
	丨 冂 口										
enclosure	口										

生詞

第一課　你好　　您好　　你早　　您早　　再見

　ㄥ　ㄧ　ㄨ　ㄔ　ㄈ　王　土　士　山

第二課　你好嗎　不錯　還可以　我　很好　謝謝　你呢　也

　ㄣ　心　口　羊　足　言　金　食　糸

第三課　是　我的　朋友　一　二　三　四　五　六　七　八　九　十

　日　白　目　月　田　氵　灬　雨　夕

第四課　今天　　幾月　　十月　　幾號　　八號　　星期一

　星期幾　　昨天　　星期日／天　　明天

　厂　广　角　馬　力　扌　刂　孑　弓

第五課　叫　什麼　名字　她　姓　馬　他　李　王　山

　木　禾　艹　竹　大　小　辶　阝　立

第六課　住　在　哪兒　中國人　北京　上海　西安　日本人

　香港　哪國人

　又　欠　方　女　宀　宀　门　門　口

30

總複習

1. Greetings

nǐ hǎo
你好!

nǐ zǎo
你早!

nǐ hǎo ma
你好嗎?

xiè xie
謝謝!

hái kě yǐ
還可以。

nín hǎo
您好!

zài jiàn
再見!

wǒ hěn hǎo
我很好。

bú cuò
不錯。

wǒ yě hěn hǎo
我也很好。

nǐ ne
你呢?

2. Numbers

yī 一　er 二　sān 三　sì 四　wǔ 五　liù 六　qī 七　bā 八　jiǔ 九　shí 十

shí yī 十一　shí èr 十二　èr shí 二十　èr shí wǔ 二十五　sān shí 三十

sì shí 四十　liù shí jiǔ 六十九　bā shí qī 八十七　jiǔ shí jiǔ 九十九

3. Places

zhōng guó 中國　shàng hǎi 上海　xiāng gǎng 香港　xī ān 西安　běi jīng 北京　rì běn 日本

4. People

nǐ 你　wǒ 我　tā 他　tā 她　péng you 朋友

5. Surnames and names

mǎ 馬　lǐ shān 李山　wáng yuè 王月　lǐ hǎi 李海　wáng ān yī 王安一　shān běn rì běn xìng 山本（日本姓）

6. Question words and particals

ne 呢　ma 嗎　shén me 什麼　jǐ 幾　nǎr 哪兒　nǎ 哪

31

7. Radicals

亠　亻　入　彳　父　王　土　士　山

忄　心　口　羊　足　言　金　食　糸

日　白　目　月　田　氵　灬　雨　夕

厂　广　角　馬　力　扌　刂　牙　弓

木　禾　艹　竹　大　小　辶　阝　立

又　欠　方　女　一　宀　冂　門　口

8. Dates

xīng qī yī	xīng qī èr	xīng qī sān	xīng qī sì	xīng qī wǔ	xīng qī liù
星期一	星期二	星期三	星期四	星期五	星期六

xīng qī rì　tiān
星期日（天）

yī yuè	èr yuè	sān yuè	sì yuè	wǔ yuè	liù yuè
一月	二月	三月	四月	五月	六月

qī yuè	bā yuè	jiǔ yuè	shí yuè	shí yī yuè	shí èr yuè
七月	八月	九月	十月	十一月	十二月

zuó tiān	jīn tiān	míngtiān	sān yuè jiǔ hào　rì
昨天	今天	明天	三月九號（日）

9. Phonetics

Vowels:　　　　a　o　e　i　u　ü

Consonants:　　b　p　m　f　d　t　n　l

　　　　　　　g　k　h　j　q　x

　　　　　　　zh　ch　sh　r　z　c　s

　　　　　　　y　w

10. Questions and answers

(1) nǐ hǎo ma
你好嗎？ wǒ hěn hǎo bú cuò hái kě yǐ
我很好。(不錯。／還可以。)

(2) nǐ shì zhōng guó rén ma
你是中國人嗎？ shì bú shì
是。(不是。)

(3) nǐ xìng shén me
你姓什麼？ wǒ xìng wáng
我姓王。

(4) nǐ jiào shén me míng zi
你叫什麼名字？ wǒ jiào wáng yuè
我叫王月。

(5) nǐ shì nǎ guó rén
你是哪國人？ wǒ shì zhōng guó rén
我是中國人。

(6) nǐ zhù zài nǎr
你住在哪兒？ wǒ zhù zài shàng hǎi
我住在上海。

(7) jīn tiān shì jǐ yuè jǐ hào
今天(是)幾月幾號？ shí yī yuè shí hào
十一月十號。

(8) jīn tiān xīng qī jǐ
今天星期幾？ jīn tiān xīng qī wǔ
今天星期五。

(9) míng tiān shì xīng qī èr ma
明天是星期二嗎？ bú shì
不是。

(10) zuó tiān xīng qī jǐ
昨天星期幾？ xīng qī tiān rì
星期天(日)。

測驗

1 Match the Chinese with the pinyin.

(1) 什麼   (a) xī'ān

(2) 再見   (b) zàijiàn

(3) 還可以   (c) shénme

(4) 不錯   (d) hái kěyǐ

(5) 中國   (e) nǎr

(6) 哪兒   (f) zhōngguó

(7) 西安   (g) búcuò

(8) 星期   (h) zuótiān

(9) 昨天   (i) xīngqī

2 Fill in the blanks with the words in the box.

> 呢   嗎   什麼
> 哪   幾   哪兒

(1) 你好＿＿＿＿＿?

(2) 你叫＿＿＿＿＿名字?

(3) 你是＿＿＿＿＿國人?

(4) 你住在＿＿＿＿＿?

(5) 我很好，你＿＿＿＿＿?

(6) 今天星期＿＿＿＿＿?

3 Write the numbers in Chinese.

Example

13 → 十三

_____

(1) 29

(2) 37

(3) 69

(4) 78

(5) 54

(6) 81

4 Give the meanings of the following radicals.

(1) 亻 ＿＿＿＿   (6) 心 ＿＿＿＿

(2) 言 ＿＿＿＿   (7) 宀 ＿＿＿＿

(3) 金 ＿＿＿＿   (8) 禾 ＿＿＿＿

(4) 白 ＿＿＿＿   (9) 人 ＿＿＿＿

(5) 辶 ＿＿＿＿   (10) 夕 ＿＿＿＿

5 Answer the following questions.

(1) 你姓什麼？

(2) 你叫什麼名字？

(3) 你住在哪兒？

(4) 你是日本人嗎？

(5) 你是哪國人？

(6) 今天星期幾？

(7) 今天是幾月幾號？

(8) 明天是星期四嗎？

6 Circle the correct pinyin.

(1) 謝謝　(a) xièxie　(b) shièshie

(2) 七　(a) chī　(b) qī

(3) 九　(a) jiǔ　(b) zhiǔ

(4) 名字　(a) míngzhi　(b) míngzi

(5) 住　(a) zù　(b) zhù

(6) 香港　(a) xiānggǎn　(b) xiānggǎng

(7) 姓　(a) xìn　(b) xìng

(8) 日本　(a) rèběn　(b) rìběn

7 Translation.

(1)　How are you?

(2)　I am fine, thanks. And you?

(3)　He is also Chinese.

(4)　What is your name?

(5)　Is she from Hong Kong?

(6)　Where do you live?

(7)　What day is today?

(8)　What is the date today?

35

第二單元　一家人

第七課　這是我的一家

1 Categorize the following phrases into two groups: male and female.

bà ba	mā ma	gē ge
爸爸	媽媽	哥哥
dì di	mèi mei	jiě jie
弟弟	妹妹	姐姐

Male: ＿爸爸＿＿＿＿＿＿＿＿＿＿

Female: ＿＿＿＿＿＿＿＿＿＿＿

2 Dismantle the characters into parts.

hǎo
(1) 好 ＿＿ ＿＿

men
(2) 們 ＿＿ ＿＿

mā
(3) 媽 ＿＿ ＿＿

bà
(4) 爸 ＿＿ ＿＿

jiě
(5) 姐 ＿＿ ＿＿

mèi
(6) 妹 ＿＿ ＿＿

xīng
(7) 星 ＿＿ ＿＿

nǐ
(8) 你 ＿＿ ＿＿

zhè
(9) 這 ＿＿ ＿＿

xìng
(10) 姓 ＿＿ ＿＿

míng
(11) 名 ＿＿ ＿＿

tā
(12) 他 ＿＿ ＿＿

3 Match the Chinese with the pinyin.

(1) 哥哥   (a) shuí

(2) 弟弟   (b) dìdi

(3) 姐姐   (c) yìjiārén

(4) 誰   (d) tāmen

(5) 妹妹   (e) gēge

(6) 一家人   (f) jiějie

(7) 他們   (g) mèimei

4 Translation.

(1) one family

(2) elder brother

(3) younger sister

(4) younger brother

(5) elder sister

(6) China

(7) who

5 Find the phrases. Write them out.

呢	朋	很	好	不	錯
我	們	友	一	家	人
什	你	們	還	可	以
麼	再	見	名	字	的

(1) _____ (5) _____

(2) _____ (6) _____

(3) _____ (7) _____

(4) _____ (8) _____

6 Give the meanings of the following radicals.

(1) 足 ___foot___　　(10) 力 _____

(2) 方 _____　(11) 欠 _____

(3) 又 _____　(12) 广 _____

(4) 食 _____　(13) 扌 _____

(5) 木 _____　(14) 白 _____

(6) 禾 _____　(15) 弓 _____

(7) 金 _____　(16) 亠 _____

(8) 糸 _____　(17) 土 _____

(9) 刂 _____　(18) 士 _____

7 Write the pinyin for the following words.

(1) 家 ___jiā___　　(7) 他們 _____

(2) 爸爸 _____　(8) 住 _____

(3) 哥哥 _____　(9) 哪兒 _____

(4) 弟弟 _____　(10) 姓 _____

(5) 妹妹 _____　(11) 名字 _____

(6) 姐姐 _____　(12) 昨天 _____

8 Answer the following questions.

nǐ xìng shén me
(1) 你姓什麼？

nǐ jiào shén me míng zi
(2) 你叫什麼名字？

nǐ shì nǎ guó rén
(3) 你是哪國人？

jīn tiān shì jǐ yuè jǐ hào
(4) 今天是幾月幾號？

jīn tiān xīng qī jǐ
(5) 今天星期幾？

míng tiān xīng qī jǐ
(6) 明天星期幾？

9 Form as many questions as you can. Write them out.

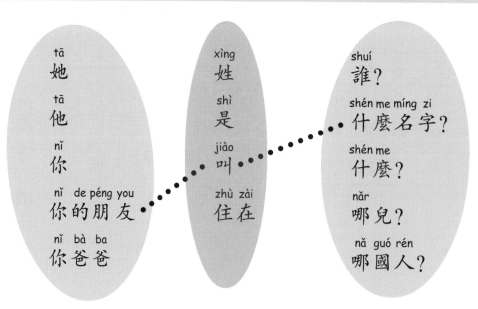

(1) ___你的朋友叫什麼名字？___

(4) _____

(2) _____

(5) _____

(3) _____

(6) _____

10 Fill in the blanks with the words in the box.

jǐ	shén me	shuí	nǎr	nǎ	ma	ne
幾	什麼	誰	哪兒	哪	嗎	呢

(1) 你叫 _____ 名字？
nǐ jiào míng zi

(7) 她是_____？
tā shì

(2) 今天星期 _____？
jīn tiān xīng qī

(8) 昨天是_____月_____號？
zuó tiān shì yuè hào

(3) 你爸爸好 _____？
nǐ bà ba hǎo

(9) 你朋友住在 _____？
nǐ péng you zhù zài

(4) 我很好，你 _____？
wǒ hěn hǎo nǐ

(10) 王月是 _____？
wáng yuè shì

(5) 你是 _____ 國人？
nǐ shì guó rén

(11) 你們是中國人_____？
nǐ men shì zhōng guó rén

(6) 他住在 _____？
tā zhù zài

(12) 你們也住在香港 _____？
nǐ men yě zhù zài xiāng gǎng

11 Match the Chinese with the English.

(1) nǐ jiā 你家   (a) at home

(2) guó jiā 國家   (b) your family

(3) zài jiā 在家   (c) country

(4) rì qī 日期   (d) whose

(5) shuí de 誰的   (e) people

(6) rén men 人們   (f) family members

(7) jiā rén 家人   (g) date

(8) jiā jiā 家家   (h) every family

12 Put the words / phrases into sentences.

Example
wǒ dì di shì zhè
我弟弟 是 這。
→ zhè shì wǒ dì di
這是我弟弟。

(1) shì zhè wǒ bà ba
是 這 我爸爸。

(2) shén me xìng tā
什麼 姓 她？

(3) míng zi tā shén me jiào
名字 他 什麼 叫？

(4) nǎr tā zhù zài
哪兒 他 住在？

(5) wǒ de yì jiā shì zhè
我的一家 是 這。

13 Translation.

(1) What day was yesterday?

(2) What is your surname?

(3) What is your name?

(4) Where do you live?

(5) What is your nationality?

(6) This is my family.

(7) They are my friends.

(8) Who is she?

14 Write a paragraph to introduce your family.

生 字

		、	二	三	言	言	言	言	言	言	這		
zhè this	這												
		、	宀	宀	宁	宁	宁	宇	家	家	家		
jiā family; home	家												
		ノ	イ	化	化	化	化	俨	們	們	們		
men plural suffix	們												
		く	女	女	女	妒	妒	妒	妞	媽	媽	媽	媽
mā mum; mother	媽												
		く	女	女	女	妒	妊	妹	妹				
mèi younger sister	妹												
		、	ソ	尚	当	肖	弟	弟					
dì younger brother	弟												
		、	八	少	父	爷	爷	爸	爸				
bà dad; father	爸												
		く	女	女	如	如	如	姐	姐				
jiě elder sister	姐												
		一	厂	可	可	可	哥	哥	哥	哥			
gē elder brother	哥												
		、	二	三	言	言	言	訁	計	計	誰	誰	誰
shuí who	誰												

識字（一）

		一 ナ 大									
dà big	大										
		丨 冂 口									
kǒu measure word; mouth	口										
		⺈ ク 夕 夕 多 多									
duō more; many	多										
		丶 亠 宀 方									
fāng square; direction; surname	方										
		丶 亠 亠 言 言 言 言									
yán speech; say	言										
		一 厂 厂 厂 厂 厈 厈 厈 厈 厤 厤 厤 厤 厤 歷 歷 歷									
lì experience	歷										
		一 厂 厂 厂 厂 厈 厈 厈 厈 厤 厤 厤 厤 厤 曆 曆 曆									
lì calendar	曆										
		丶 丨 冂 口 史 史									
shǐ history; surname	史										
		一 一 厂 F F 叿 長 長 長									
cháng long	長										

1 Match the pinyin with the Chinese and English.

(1) rénkǒu   中國   dialect

(2) zhōngguó   人口 —— population

(3) fāngyán   方言   history

(4) lìshǐ   歷史   China

2 Match the Chinese with the pinyin and English.

(1) 長   duō   many

(2) 大   cháng   big

(3) 多   fāng   long

(4) 方   dà   square

3 Match the Chinese with the English.

běi fāng
(1) 北方   (a) Chinese history

xī fāng
(2) 西方   (b) ocean

zhōng guó lì shǐ
(3) 中國歷史   (c) the North

rì lì
(4) 日曆   (d) the West

dà hǎi
(5) 大海   (e) calendar

4 Give the meanings of each word.

①
rén
人 _____
dà
大 _____

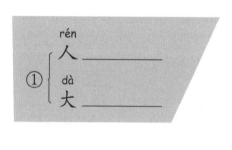

②
zhōng
中 _____
shǐ
史 _____

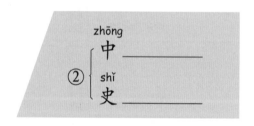

③
fāng
方 _____
lì
歷 _____

④
kǒu
口 _____
rì
日 _____

第八課　他家有七口人

1 Write in Chinese.

1 I 我____

2 we ____

3 they ____

4 you ____

5 he ____

6 she ____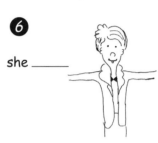

2 Match the Chinese with the pictures.

mā ma
(1) 媽媽

dì di
(2) 弟弟

gē ge
(3) 哥哥

jiě jie
(4) 姐姐

bà ba
(5) 爸爸

mèi mei
(6) 妹妹

3 Ask questions by using the question words given.

wǒ jiào wáng yuè　　shén me
(1) 我叫王月。(什麼)

→ 你叫什麼名字？

wǒ yǒu sì ge mèi mei　　jǐ ge
(2) 我有四個妹妹。(幾個)

→ _____？

wǒ jiā yǒu liù kǒu rén　　jǐ kǒu rén
(3) 我家有六口人。(幾口人)

→ _____？

tā shì wǒ jiě jie　　shuí
(4) 她是我姐姐。(誰)

→ _____？

wǒ jiā yǒu bà ba　　mā ma hé wǒ　　shuí
(5) 我家有爸爸、媽媽和我。(誰)

→ _____？

43

Answer questions according to the pictures.

5 Give the meanings of the radicals. Find a word for each radical.

(1) 女 _____ _____

(2) 父 _____ _____

(3) 艹 _____ _____

(4) 言 _____ _____

(5) 夕 _____ _____

(6) 月 _____ _____

(7) 禾 _____ _____

(8) 口 _____ _____

(9) 氵 _____ _____

(10) 宀 _____ _____

6 Match the Chinese with the English.

yǒu rén
(1) 有人   (a) medium size

yǒu míng
(2) 有名   (b) everybody

yǒu de
(3) 有的   (c) there is somebody

dà hào
(4) 大號   (d) two sisters

dà jiā
(5) 大家   (e) adult

dà rén
(6) 大人   (f) large size

liǎng jiě mèi
(7) 兩姐妹   (g) famous

zhōng hào
(8) 中號   (h) two brothers

liǎng xiōng dì
(9) 兩兄弟   (i) some

7 Ask questions in another way.

Example

nǐ yǒu gē ge ma
你有哥哥嗎? ⟶ 你有没有哥哥?
_____

zhè shì nǐ bà ba ma
(1) 這是你爸爸嗎?

nǐ yǒu dì di ma
(4) 你有弟弟嗎?

nǐ yǒu xiōng dì jiě mèi ma
(2) 你有兄弟姐妹嗎?

nǐ shì yīng guó rén ma
(5) 你是英國人嗎?

tā shì nǐ mā ma ma
(3) 她是你媽媽嗎?

nǐ yǒu mèi mei ma
(6) 你有妹妹嗎?

8 Match the question with the answer.

nǐ yǒu mèi mei ma
(1) 你有妹妹嗎？

nǐ jiā yǒu jǐ kǒu rén
(2) 你家有幾口人？

nǐ yǒu jǐ ge jiě jie
(3) 你有幾個姐姐？

nǐ men yì jiā rén zhù zài nǎr
(4) 你們一家人住在哪兒？

nǐ jiàoshén me míng zi
(5) 你叫什麼名字？

nǐ de péngyou xìng shén me
(6) 你的朋友姓什麼？

nà ge rén shì shuí
(7) 那個人是誰？

nǐ mā ma shì nǎ guó rén
(8) 你媽媽是哪國人？

wǒ jiào wáng yuè
(a) 我叫王月。

wǒ men yì jiā rén zhù zài xiānggǎng
(b) 我們一家人住在香港。

wǒ jiā yǒu sān kǒu rén
(c) 我家有三口人。

wǒ yǒu mèi mei
(d) 我有妹妹。

wǒ mā ma shì yīng guó rén
(e) 我媽媽是英國人。

wǒ yǒu liǎng ge jiě jie
(f) 我有兩個姐姐。

tā shì wǒ bà ba
(g) 他是我爸爸。

wǒ de péngyou xìng lǐ
(h) 我的朋友姓李。

9 Change the following sentences into "嗎" questions.

tā shì wǒ mèi mei
她是我妹妹。

⟶ 她是你妹妹嗎？

zhè shì wǒ bà ba
(1) 這是我爸爸。

wǒ zhù zài yīng guó
(2) 我住在英國。

wǒ de péngyou shì rì běn rén
(3) 我的朋友是日本人。

tā jiào lǐ shān
(4) 他叫李山。

wǒ yǒu gē ge
(5) 我有哥哥。

10 Answer the following questions.

nǐ shì nǎ guó rén
(1) 你是哪國人？

nǐ jiā yǒu jǐ kǒu rén
(2) 你家有幾口人？

nǐ yǒu jǐ ge xiōng dì jiě mèi
(3) 你有幾個兄弟姐妹？

nǐ yǒu méi yǒu gē ge
(4) 你有沒有哥哥？

jīn tiān shì jǐ yuè jǐ hào
(5) 今天是幾月幾號？

jīn tiān xīng qī jǐ
(6) 今天星期幾？

míngtiān xīng qī jǐ
(7) 明天星期幾？

11 Reading comprehension.

bà ba
爸爸

mā ma
媽媽

xiǎo míng
小 明

xiǎo fāng
小 方

zhè shì wǒ de yì jiā　　wǒ jiā yǒu sì kǒu
這是我的一家。我家有四口
rén　　bà ba　　mā ma　　mèi mei hé wǒ　　wǒ
人：爸爸、媽媽、妹妹和我。我
mèi mei jiào xiǎo fāng　　wǒ jiào xiǎo míng　　wǒ bà
妹妹叫小方，我叫小明。我爸
ba shì yīng guó rén　　wǒ mā ma shì zhōng guó rén
爸是英國人，我媽媽是中國人。
wǒ men yì jiā rén zhù zài yīng guó
我們一家人住在英國。

Answer the questions.

xiǎo míng yì jiā yǒu jǐ kǒu rén
(1) 小 明一家有幾口人？

xiǎo míng yǒu xiōng dì jiě mèi ma
(2) 小 明有 兄弟姐妹嗎？

xiǎo míng yǒu gē ge ma
(3) 小 明有哥哥嗎？

xiǎo míng yǒu jǐ gè mèi mei
(4) 小 明有幾個妹妹？

tā mèi mei jiào shén me míng zi
(5) 他妹妹叫什麼名字？

tā bà ba shì nǎ guó rén
(6) 他爸爸是哪國人？

tā mā ma shì yīng guó rén ma
(7) 他媽媽是英國人嗎？

tā men yì jiā rén zhù zài nǎr
(8) 他們一家人住在哪兒？

12 Match the Chinese with the English.

wǒ jiā méi yǒu rén
(1) 我家没有人。

nà ge rén shì wǒ dì di
(2) 那個人是我弟弟。

tā mā ma hěn yǒu míng
(3) 她媽媽很有名。

yǒu de rén hěn yǒu hǎo
(4) 有的人很友好。

zhè ge rén bú shì wǒ de péng you
(5) 這個人不是我的朋友。

tā men shì liǎng xiōng dì
(6) 他們是兩兄弟。

(a) This person is not my friend.

(b) Her mother is very famous.

(c) That person is my younger brother.

(d) There is nobody at home.

(e) Some people are friendly.

(f) They are brothers.

13 Reading comprehension.

fāng jīng
方京

fāng jīng jiā yǒu qī kǒu rén   bà ba
方京家有七口人：爸爸、

mā ma   yí ge gē ge   yí ge jiě jie
媽媽、一個哥哥、一個姐姐、

liǎng ge mèi mei hé tā   fāng jīng de bà ba
兩個妹妹和她。方京的爸爸

shì yīng guó rén   tā mā ma shì rì běn
是英國人，她媽媽是日本

rén   tā men yì jiā rén zhù zài shàng hǎi
人。他們一家人住在上海。

Answer the questions.

fāng jīng jiā yǒu jǐ kǒu rén
(1) 方京家有幾口人？

tā jiā yǒu shuí
(2) 她家有誰？

tā yǒu méi yǒu dì di
(3) 她有沒有弟弟？

tā bà ba shì nǎ guó rén
(4) 她爸爸是哪國人？

tā mā ma shì nǎ guó rén
(5) 她媽媽是哪國人？

tā men yì jiā rén zhù zài nǎr
(6) 他們一家人住在哪兒？

14 Write the pinyin for the following words.

(1) 中國 _____ (5) 也 _____

(2) 和 _____ (6) 沒有 _____

(3) 哥哥 _____ (7) 英國 _____

(4) 不錯 _____ (8) 誰 _____

15 Ask questions about the underlined parts.

Example

wǒ xìng wáng   shén me
我姓王。（什麼）

→ 你姓什麼？

wǒ shì yīng guó rén   nǎ guó rén
(1) 我是英國人。（哪國人）

→

wǒ jiā yǒu sì kǒu rén   jǐ kǒu rén
(2) 我家有四口人。（幾口人）

→

wǒ yǒu liǎng ge jiě jie   jǐ ge
(3) 我有兩個姐姐。（幾個）

→

xiǎo shān jiā zhù zài xiāng gǎng   nǎr
(4) 小山家住在香港。（哪兒）

→

jīn tiān liù yuè qī hào   jǐ
(5) 今天六月七號。（幾）

→

tā shì wǒ mā ma   shuí
(6) 她是我媽媽。（誰）

→

16 Translation.

(1) His last name is Ma.

(2) His name is Ma Benshan.

(3) There are six people in his family.

(4) He has three brothers and sisters.

(5) She does not have any younger brothers.

(6) His parents are English.

(7) They live in Beijing.

(8) My family consists of mother, father and me.

17 This is a family photo. Write a passage in Chinese.

mā ma   yīng guó rén
媽媽（英國人）

bà ba   yīng guó rén
爸爸（英國人）

gē ge
哥哥

jiě jie
姐姐

dì di
弟弟

mǎ běnshān
馬本山

他叫馬本山。_____

_____

_____

_____

生字

		一	ナ	オ	ガ	有	有					
yǒu have; there is	有											
		亅	小	小								
xiǎo small; little	小											
		刁	刁	刍	尹	那	那					
nà that	那											
		丿	亻	仆	们	佣	們	個	個	個		
gè measure word (general)	個											
		一	厂	冂	币	雨	兩	兩	兩			
liǎng two	兩											
		丿	二	千	禾	禾	和	和				
hé and	和											
		一	十	艹	艹	苎	苎	英	英			
yīng hero	英											
		丶	口	口	尸	兄						
xiōng elder brother	兄											
		丶	氵	氵	氵	汈	沪	没				
méi no	没											

識字（二）

		一	厂	厂	厅	厅	耳	耳						
ěr ear	耳													
		一	二	三	手									
shǒu hand	手													
		丶	一	亠	亠	亣	齐	亦	亦	旅	旅	旅	齊	齊	齊
qí in order; together; surname	齊													
		丿	几	月	月	用								
yòng use	用													
		丿	人	入	仐	仝	全							
quán whole	全													
		丶	亻	勹	勻	自	身	身						
shēn body	身													
		丶	心	心	心									
xīn heart	心													
		丶	丷	彡	臼	臼	臼	臼	臼	臼	卿	卿	學	學	學
xué study	學													
		丶	一	亠	文									
wén word; literature	文													

1 Match the pictures with the characters.

❶

❷

❸

shǒu
(a) 手

kǒu
(b) 口

ěr
(c) 耳

2 Give the meanings of each word.

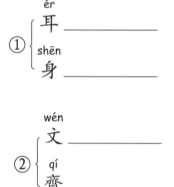

ěr
① 耳 _____

shēn
身 _____

wén
② 文 _____

qí
齊 _____

3 Write the pinyin for the following words.

(1) 齊 _____   (5) 心 _____

(2) 全 _____   (6) 文 _____

(3) 身 _____   (7) 耳 _____

(4) 用 _____   (8) 手 _____

4 Give the meanings of the following phrases.

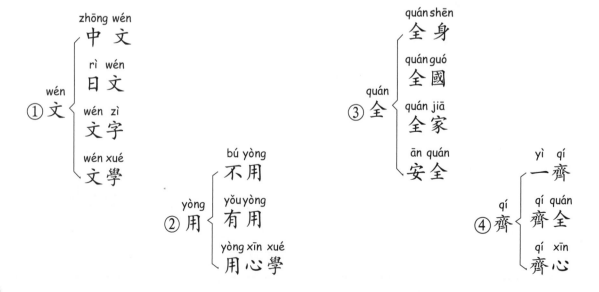

zhōng wén
中 文

rì wén
日 文

wén
① 文

wén zì
文 字

wén xué
文 學

bú yòng
不 用

yòng
② 用

yǒu yòng
有 用

yòng xīn xué
用 心 學

quán shēn
全 身

quán guó
全 國

quán
③ 全

quán jiā
全 家

ān quán
安 全

yì qí
一 齊

qí
④ 齊

qí quán
齊 全

qí xīn
齊 心

1 Give the meanings of the following phrases.

gōng zuò
(1) 工作 _____

duō dà le
(4) 多大了 _____

méi yǒu
(7) 沒有 _____

zhōng xué shēng
(2) 中學生 _____

xiōng dì jiě mèi
(5) 兄弟姐妹 _____

bú shì
(8) 不是 _____

jǐ suì le
(3) 幾歲了 _____

wǔ kǒu rén
(6) 五口人 _____

xiǎo xué shēng
(9) 小學生 _____

2 Form as many questions as you can. Write them out.

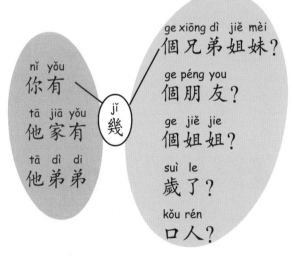

nǐ yǒu
你有

tā jiā yǒu
他家有

tā dì di
他弟弟

jǐ
幾

ge xiōng dì jiě mèi
個兄弟姐妹？

ge péng you
個朋友？

ge jiě jie
個姐姐？

suì le
歲了？

kǒu rén
口人？

(1) 你有幾個兄弟姐妹？

(2) _____

(3) _____

(4) _____

3 Put the words / phrases into sentences.

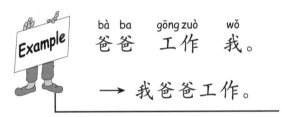

bà ba gōng zuò wǒ
爸爸 工作 我。

→ 我爸爸工作。

shí jiǔ suì wǒ gē ge
(1) 十九歲 我哥哥。

xiǎo xué shēng tā mèi mei shì
(2) 小學生 她妹妹 是。

zhù zài běi jīng tā men
(3) 住在 北京 他們。

tā mèi mei yí ge yǒu
(4) 他 妹妹 一個 有。

yǒu wǔ kǒu rén tā jiā
(5) 有 五口人 他家。

yǒu tā xiōng dì jiě mèi sì ge
(6) 有 她 兄弟姐妹 四個。

shì zhè tā bà ba
(7) 是 這 他爸爸。

53

4   Transcribe the pinyin into Chinese characters.

(1) qīsuì _____   (3) gōngzuò _____   (5) míngzi _____

(2) xuésheng _____   (4) méiyǒu _____   (6) zàijiàn _____

5   Ask questions according to the information given.

Example

她幾歲了？

她是小學生嗎？

wǔ suì
五歲，
xiǎo xué shēng
小學生

❶
shí wǔ suì
十五歲，
zhōng xué shēng
中學生

❷
sān shí èr suì
三十二歲，
gōng zuò
工作

❸
èr shí èr suì
二十二歲，
dà xué shēng
大學生

❹
shí èr suì
十二歲，
zhōng guó rén
中國人

❺
qī suì
七歲，
xiǎo xué shēng
小學生

❻
èr shí bā suì
二十八歲，
gōng zuò
工作

6 Form as many questions as you can. Write them out.

nǐ jiào
你叫

nǐ jiā yǒu
你家有

nǐ jiā zhù zài
你家住在

nǐ shì
你是

tā shì
他是

jǐ
幾

shuí
誰?

shén me
什麼

nǎr
哪兒?

nǎ
哪

guó rén
國人?

míng zi
名字?

kǒu rén
口人?

(1) _____   (4) _____

(2) _____   (5) _____

(3) _____   (6) _____

7 Find the phrases. Write them out.

西	很	好	我	們	媽	媽
上	安	工	人	爸	爸	兄
海	北	京	作	日	沒	弟
名	大	學	生	本	有	姐
還	字	中	英	星	期	妹
可	你	不	國	再	香	港
以	好	小	錯	見	不	是

(1) _____   (8) _____

(2) _____   (9) _____

(3) _____   (10) _____

(4) _____   (11) _____

(5) _____   (12) _____

(6) _____   (13) _____

(7) _____   (14) _____

8 Dismantle the characters into parts.

zuò
(1) 作＿＿＿＿＿

méi
(6) 沒＿＿＿＿＿

xué
(2) 學＿＿＿＿＿

hé
(7) 和＿＿＿＿＿

duō
(3) 多＿＿＿＿＿

suì
(8) 歲＿＿＿＿＿

yīng
(4) 英＿＿＿＿＿

shuí
(9) 誰＿＿＿＿＿

nà
(5) 那＿＿＿＿＿

bà
(10) 爸＿＿＿＿＿

9 Fill in the blanks with the words in the box.

shuí	shén me	nǎr	jǐ
誰	什麼	哪兒	幾
ma	ne	nǎ	
嗎	呢	哪	

nǐ shì   guó rén
(1) 你是＿＿＿＿＿國人？

nǐ jiào   míng zi
(2) 你叫＿＿＿＿＿名字？

nǐ jiā yǒu   kǒu rén
(3) 你家有＿＿＿＿＿口人？

nǐ jiā yǒu
(4) 你家有＿＿＿＿＿？

nǐ yǒu   ge xiōng dì jiě mèi
(5) 你有＿＿＿＿＿個兄弟姐妹？

wǒ hěn hǎo   nǐ
(6) 我很好，你＿＿＿＿＿？

nǐ shì zhōng xué shēng
(7) 你是中學生＿＿＿＿＿？

nǐ men yì jiā rén zhù zài
(8) 你們一家人住在＿＿＿＿＿？

10 Ask a question for each answer.

(1) A: ＿＿＿＿＿＿＿＿＿＿？

wǒ xìng lǐ
B: 我姓李。

(2) A: ＿＿＿＿＿＿＿＿＿＿？

wǒ jiào lǐ shān
B: 我叫李山。

(3) A: ＿＿＿＿＿＿＿＿＿＿？

tā shì zhōng xué shēng
B: 他是中學生。

(4) A: ＿＿＿＿＿＿＿＿＿＿？

tā jiā yǒu wǔ kǒu rén
B: 她家有五口人。

(5) A: ＿＿＿＿＿＿＿＿＿＿？

wǒ jiā yǒu bà ba   mā ma hé wǒ
B: 我家有爸爸、媽媽和我。

(6) A: ＿＿＿＿＿＿＿＿＿＿？

xiǎo yīng yǒu xiōng dì jiě mèi
B: 小英有兄弟姐妹。

(7) A: ＿＿＿＿＿＿＿＿＿＿？

wǒ bà ba gōngzuò
B: 我爸爸工作。

(8) A: ＿＿＿＿＿＿＿＿＿＿？

tā zhù zài běi jīng
B: 他住在北京。

11 Translation.

(1) 我爸爸工作，我媽媽也工作。
wǒ bà ba gōng zuò wǒ mā ma yě gōng zuò

(2) 我是中學生，我妹妹也是中學生。
wǒ shì zhōng xué shēng wǒ mèi mei yě shì zhōng xué shēng

(3) 我姐姐住在英國，我不住在英國。
wǒ jiě jie zhù zài yīng guó wǒ bú zhù zài yīng guó

(4) 我有哥哥，她没有哥哥。
wǒ yǒu gē ge tā méi yǒu gē ge

(5) 他姓馬，我也姓馬。
tā xìng mǎ wǒ yě xìng mǎ

(6) 她是中國人，我也是中國人。
tā shì zhōng guó rén wǒ yě shì zhōng guó rén

(7) 他家有五口人，我家也有五口人。
tā jiā yǒu wǔ kǒu rén wǒ jiā yě yǒu wǔ kǒu rén

(8) 他妹妹四歲，我妹妹也四歲。
tā mèi mei sì suì wǒ mèi mei yě sì suì

12 Match the Chinese with the English.

(1) 工人
gōng rén
(a) children

(2) 小朋友
xiǎo péng you
(b) big country

(3) 很多
hěn duō
(c) this month

(4) 大國
dà guó
(d) worker

(5) 這個月
zhè ge yuè
(e) birthday

(6) 小姐
xiǎo jie
(f) many; much

(7) 生日
shēng ri
(g) university

(8) 大學
dà xué
(h) last month

(9) 上個月
shàng ge yuè
(i) eldest sister

(10) 大姐
dà jiě
(j) Miss

13 Reading comprehension.

小山家有四口人：爸
xiǎo shān jiā yǒu sì kǒu rén bà

爸、媽媽、哥哥和他。小山的
ba mā ma gē ge hé tā xiǎo shān de

哥哥十九歲，是大學生。小
gē ge shí jiǔ suì shì dà xué shēng xiǎo

山十五歲，是中學生。他
shān shí wǔ suì shì zhōng xué shēng tā

爸爸工作，他媽媽不工作。
bà ba gōng zuò tā mā ma bù gōng zuò

Answer the questions.

(1) 小山有兄弟姐妹嗎？
xiǎo shān yǒu xiōng dì jiě mèi ma

(2) 小山有幾個哥哥？
xiǎo shān yǒu jǐ ge gē ge

(3) 他哥哥多大了？
tā gē ge duō dà le

(4) 小山是大學生嗎？
xiǎo shān shì dà xué shēng ma

(5) 小山的爸爸工作嗎？
xiǎo shān de bà ba gōng zuò ma

14 Write the pinyin for the following words.

(1) 工作 _____ (7) 不是 _____

(2) 學生 _____ (8) 誰 _____

(3) 歲 _____ (9) 住 _____

(4) 多 _____ (10) 家 _____

(5) 沒有 _____ (11) 名字 _____

(6) 這 _____ (12) 姓 _____

15 Translation.

(1) How many people are there in your family?

(2) How many brothers and sisters do you have?

(3) How old are you?

(4) Are you a secondary school student?

(5) Does your father work?

16 Give the meanings of the radicals. Find a word for each radical.

(1) 日 _____ _____

(2) 亻 _____ _____

(3) 夕 _____ _____

(4) 禾 _____ _____

(5) 艹 _____ _____

(6) 口 _____ _____

(7) 言 _____ _____

(8) 女 _____ _____

17 Translation.

wǒ gē ge shí bā suì le
(1) 我哥哥十八歲了。

wǒ men bú shì zhōng guó rén   wǒ men
(2) 我們不是中國人，我們
shì rì běn rén
是日本人。

wǒ de péng you shì zhōng xué shēng
(3) 我的朋友是中學生。

nà ge rén shì shuí
(4) 那個人是誰？

tā mèi mei shì xiǎo xué shēng
(5) 她妹妹是小學生。

tā jiě jie zhù zài yīng guó
(6) 她姐姐住在英國。

wǒ bà ba gōng zuò   wǒ mā ma yě gōng zuò
(7) 我爸爸工作，我媽媽也工作。

tā gē ge bú shì zhōng xué shēng   shì dà xué shēng
(8) 他哥哥不是中學生，是大學生。

tā méi yǒu xiōng dì jiě mèi
(9) 他沒有兄弟姐妹。

58

18 Correct the mistakes.

(1) 任 zhù ＿＿＿＿ (3) 谢 xiè ＿＿＿＿ (5) 字 zì ＿＿＿＿ (7) 作 zuò ＿＿＿＿ (9) 哪 nǎ ＿＿＿＿

(2) 国 guó ＿＿＿＿ (4) 旳 de ＿＿＿＿ (6) 这 zhè ＿＿＿＿ (8) 生 shēng ＿＿＿＿ (10) 杣 hé ＿＿＿＿

19 Answer the questions according to the calendar.

十月						
日	一	二	三	四	五	六
	1	2	3	4	5	6
7	8	9	10	11	12	13
14	15	16	17	18	19	20
21	22	23	24	25	26	27
28	29	30	31	今天		

(1) 今天是幾月幾號？ jīn tiān shì jǐ yuè jǐ hào ＿＿＿＿＿＿＿＿＿

(2) 昨天是幾月幾號？ zuó tiān shì jǐ yuè jǐ hào ＿＿＿＿＿＿＿＿＿

(3) 明天是幾月幾號？ míng tiān shì jǐ yuè jǐ hào ＿＿＿＿＿＿＿＿＿

(4) 今天星期幾？ jīn tiān xīng qī jǐ ＿＿＿＿＿＿＿＿＿

(5) 明天星期幾？ míng tiān xīng qī jǐ ＿＿＿＿＿＿＿＿＿

20 Read the passage below. Write a paragraph about your family.

我叫王明。我是中國人。 wǒ jiào wáng míng　wǒ shì zhōng guó rén

我家有四口人：爸爸、媽媽、 wǒ jiā yǒu sì kǒu rén　bà ba　mā ma

姐姐和我。我姐姐十六歲，是 jiě jie hé wǒ　wǒ jiě jie shí liù suì　shì

中學生。我九歲，是小學生。 zhōng xué shēng　wǒ jiǔ suì　shì xiǎo xué shēng

我爸爸工作，我媽媽也工作。 wǒ bà ba gōng zuò　wǒ mā ma yě gōng zuò

我們住在香港。 wǒ men zhù zài xiāng gǎng

媽媽 mā ma

爸爸 bà ba

我 wǒ

姐姐 jiě jie

生 字

		一 丁 工									
gōng work	工										
		ノ イ イ 仁 竹 作 作									
zuò do; work	作										
		｜ ｜′ ｜ト 止 止 芦 芦 芹 芹 芦 歳 歳 歳									
suì year of age	歳										
		ノ ヒ 仁 牛 生									
shēng bear; grow	生										
		了 了									
le particle	了										

60

識字（三）

	丁 刁 水 水												
shuǐ water	水												
	丶 丷 丷 火												
huǒ fire	火												
	一 十 土												
tǔ soil	土												
	丨 冂 冂 田 田												
tián field; surname	田												
	丶 一 亠 亠 亠 亩 审 审 审 裏 裏 裏 裏												
lǐ inside	裏												
	一 十 才 木												
mù tree; wood	木												
	一 厂 厂 币 雨 雨 雨 雩 雪 雲 雲 雲												
yún cloud	雲												

1 Match the words with the pictures.

(1) shuǐ 水

(2) huǒ 火

(3) tǔ 土

(4) rì 日

(5) yuè 月

(6) tián 田

(7) shān 山

(8) mù 木

(9) yún 雲

(10) tiān 天

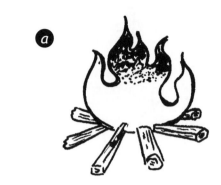

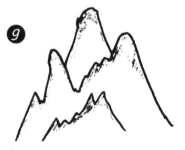

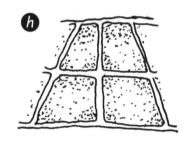

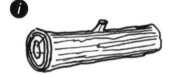

2 Give the meanings of the following phrases.

① shuǐ 水
- xiāng shuǐ 香水
- kǒu shuǐ 口水
- hǎi shuǐ 海水
- shān shuǐ 山水
- shuǐ shǒu 水手
- shuǐ tián 水田

③ rì 日
- rì běn 日本
- rì lì 日曆
- rì qī 日期
- shēng ri 生日
- xīng qī rì 星期日

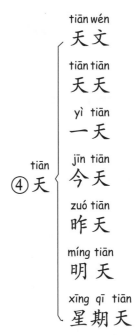

④ tiān 天
- tiān wén 天文
- tiān tiān 天天
- yì tiān 一天
- jīn tiān 今天
- zuó tiān 昨天
- míng tiān 明天
- xīng qī tiān 星期天

② huǒ 火
- dà huǒ 大火
- shān huǒ 山火
- huǒ shān 火山

⑤ mù 木
- mù mǎ 木馬
- mù ěr 木耳

3 Match the Chinese with the English.

(1) duō 多   (a) long

(2) fāng 方   (b) square

(3) cháng 長   (c) more

(4) yán 言   (d) whole

(5) yòng 用   (e) speech

(6) quán 全   (f) inside

(7) qí 齊   (g) in order

(8) lǐ 裏   (h) use

4 Give the meanings of the radicals. Find a word for each radical.

(1) 口 _____ _____

(2) 人 _____ _____

(3) 厂 _____ _____

(4) 夕 _____ _____

(5) 刀 _____ _____

(6) 言 _____ _____

(7) 阝 _____ _____

第十課　我上五年級

1　Circle the correct pinyin.

(1) 年級　　(a) niángjí　　(b) niánjí

(2) 歲　　　(a) shuì　　　(b) suì

(3) 都　　　(a) dōu　　　(b) duō

(4) 多　　　(a) duō　　　(b) dōu

(5) 工作　　(a) gōngzuò　(b) gōngzhuò

(6) 今年　　(a) jīnnián　　(b) jīngnián

2　Give the meanings of the radicals. Find a word for each radical.

(1) 阝　_____　____

(2) 女　_____　____

(3) 辶　_____　____

(4) 金　_____　____

(5) 糹　_____　____

(6) 禾　_____　____

3　Use "也" to express "also". Finish the following sentences.

　　　　tā　bà ba gōng zuò　　wǒ bà ba
(1) 他爸爸工作，我爸爸<u>也工作</u>。

　　　　tā　mā ma gōng zuò　　wǒ mā ma
(2) 她媽媽工作，我媽媽_____。

　　　　tā　shí èr suì　　wǒ
(3) 他十二歲，我_____。

　　　xiǎo míng shì xiǎo xué shēng　　wǒ mèi mei
(4) 小明是小學生，我妹妹_____。

　　　xiǎo tiān shàng jiǔ nián jí　　wǒ gē ge
(5) 小天 上九年級，我哥哥_____。

4　Use "都" to combine two sentences.

　　　tā　shì zhōng xué shēng　　wǒ　yě　shì zhōng xué shēng
(1) 他是中學生，我也是中學生。 → 我們都是中學生。

　　　xiǎo tiān shì zhōng guó rén　　wǒ　yě　shì zhōng guó rén
(2) 小天是中國人，我也是中國人。 →

　　　xiǎo míng jīn nián shí èr suì　　wǒ yě shí èr suì
(3) 小明今年十二歲，我也十二歲。 →

　　　wáng yuè shàng shí nián jí　　wǒ　yě shàng shí nián jí
(4) 王月上十年級，我也上十年級。 →

64

5 | Separate the two stories.

xiǎo yún shí liù suì　　shàng shí yī nián jí
小雲十六歲，上十一年級。

xiǎo tiān èr shí yī suì　　shàng dà xué sì nián jí
小天二十一歲，上大學四年級。

xiǎo yún zhù zài xiāng gǎng
小雲住在香港。

xiǎo tiān zhù zài yīng guó
小天住在英國。

xiǎo tiān méi yǒu xiōng dì　jiě mèi
小天沒有兄弟姐妹。

xiǎo yún yǒu yí ge dì di　　tā jīn nián jiǔ suì
小雲有一個弟弟，他今年九歲。

xiǎo yún de bà ba　　mā ma dōu gōng zuò
小雲的爸爸、媽媽都工作。

xiǎo tiān de bà ba gōng zuò　　mā ma bù gōng zuò
小天的爸爸工作，媽媽不工作。

xiǎo yún
小雲

xiǎo tiān
小天

小雲十六歲，

小天二十一歲，

_____　　_____

_____　　_____

_____　　_____

6 | Find the phrases and then write them out with English meanings.

姐	哥	香	英	國	年
兄	姐	弟	港	不	級
上	那	工	作	錯	謝
學	生	人	再	見	沒
還	可	以	很	多	有
我	們	名	字	中	國

(1) _____ _____

(2) _____ _____

(3) _____ _____

(4) _____ _____

(5) _____ _____

(6) _____ _____

(7) _____ _____

(8) _____ _____

(9) _____ _____

(10) _____ _____

7 Ask questions about the underlined parts.

(1) 我叫小山。（什麼）　　→　你叫什麼名字？
wǒ jiào xiǎo shān　shén me

(2) 小山家有四口人。（幾）　→
xiǎo shān jiā yǒu sì kǒu rén　jǐ

(3) 他有兩個弟弟。（幾）　→
tā yǒu liǎng ge dì di　jǐ

(4) 她爸爸五十歲。（多大）　→
tā bà ba wǔ shí suì　duō dà

(5) 我哥哥上十年級。（幾）　→
wǒ gē ge shàng shí nián jí　jǐ

(6) 李英住在北京。（哪兒）　→
lǐ yīng zhù zài běi jīng　nǎr

(7) 她是日本人。（哪國人）　→
tā shì rì běn rén　nǎ guó rén

(8) 我家有爸爸、媽媽、一個哥哥和我。（誰）　→
wǒ jiā yǒu bà ba　mā ma　yí ge gē ge hé wǒ　shuí

8 Find the missing words.

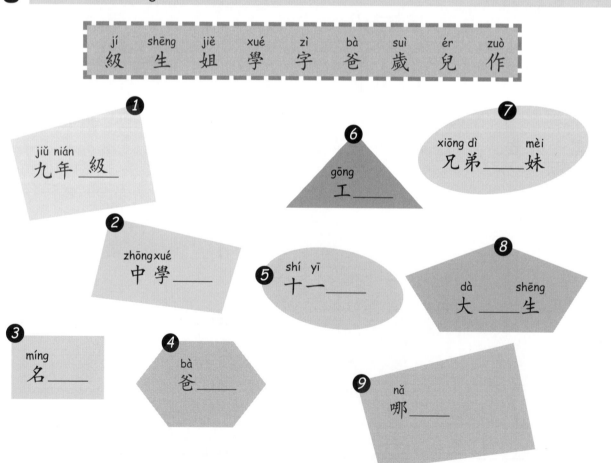

jí 級　shēng 生　jiě 姐　xué 學　zì 字　bà 爸　suì 歲　ér 兒　zuò 作

1 九年＿級　jiǔ nián

2 中學＿＿　zhōng xué

3 名＿＿　míng

4 爸＿＿　bà

5 十一＿＿　shí yī

6 工＿＿　gōng

7 兄弟＿＿妹　xiōng dì　mèi

8 大＿＿生　dà　shēng

9 哪＿＿　nǎ

9 Write the telephone numbers in Chinese.

(1) 8647 3091 _____

(2) 2566 4480 _____

(3) 5424 7602 _____

(4) 9474 8551 _____

(5) 2524 7135 _____

(6) 5483 6209 _____

(7) 6247 3201 _____

(8) 5689 2033 _____

10 Match the Chinese with the English.

shàng ge yuè
(1) 上個月   (a) every year

míng nián
(2) 明年   (b) last month

gōng rén
(3) 工人   (c) intermediate level

wǔ nián
(4) 五年   (d) worker

nián nián
(5) 年年   (e) middle-aged person

zhōng nián rén
(6) 中年人   (f) this month

zhè ge yuè
(7) 這個月   (g) next year

zhōng jí
(8) 中級   (h) school term

xué nián
(9) 學年   (i) five years

xué qī
(10) 學期   (j) school year

11 Put the parts together to form characters.

(1) ___爸___   (6) _____

(2) _____   (7) _____

(3) _____   (8) _____

(4) _____   (9) _____

(5) _____   (10) _____

12 Fill in the blanks with the words in the box.

jǐ	shuí	duō dà
幾	誰	多大
nǎr	nǎ	shén me
哪兒	哪	什麼

(1)
nǐ jiào   míng zi
A: 你叫 _____名字？
wǒ jiào wáng yīng
B: 我叫王英。

(2)
nǐ jiā yǒu   kǒu rén
A: 你家有 _____口人？
wǒ jiā yǒu wǔ kǒu rén
B: 我家有五口人。

(3)
nǐ jiā yǒu
A: 你家有 _____？
wǒ jiā yǒu bà ba   mā ma   yí ge
B: 我家有爸爸、媽媽、一個
jiě jie   liǎng ge dì di hé wǒ
姐姐、兩個弟弟和我。

(4)
nǐ dì di   suì le
A: 你弟弟 _____歲了？
tā jiǔ suì le
B: 他九歲了。

(5)
nǐ jīn nián   le
A: 你今年 _____了？
wǒ shí sì suì
B: 我十四歲。

(6)
nǐ jīn nián shàng   nián jí
A: 你今年 上 _____年級？
wǒ jīn nián shàng shí nián jí
B: 我今年 上 十年級。

(7)
nǐ men yì jiā rén zhù zài
A: 你們一家人住在_____？
wǒ men yì jiā rén zhù zài běi jīng
B: 我們一家人住在北京。

13 Write the following dates in Chinese.

(1) September

(2) November

(3) 8th August

(4) 26th April

(5) Monday, 13th March

(6) Tuesday, 17th July

(7) Friday, 23rd June, 2001

(8) Sunday, 30th December, 2001

14 Write the pinyin for the following words.

(1) 我們 _____   (8) 多大 _____

(2) 沒有 _____   (9) 幾歲 _____

(3) 年級 _____   (10) 日本 _____

(4) 工作 _____   (11) 姐姐 _____

(5) 都 _____   (12) 誰 _____

(6) 大學生 _____

(7) 一家人_____

68

15 Fill in the blanks with the words in the box.

dōu	yě	bú	méi	hé
都	也	不	没	和

　　　tā　　　　　shì wǒ gē ge
(1) 他＿＿＿是我哥哥。

　　wǒ bà ba　　mā ma　　　　gōng zuò
(2) 我爸爸、媽媽＿＿＿工作。

　　tā dì di　shì xiǎo xué shēng　　wǒ dì di
(3) 她弟弟是小學生，我弟弟

　　　　shì xiǎo xué shēng
＿＿＿是小學生。

　　wǒ gē ge　　　　jiě jie dōu shì dà xué shēng
(4) 我哥哥＿＿＿姐姐都是大學生。

　xiǎo yīng　　　yǒu dì di　　　tā yǒu yí ge
(5) 小英＿＿＿有弟弟，她有一個

　gē ge
哥哥。

16 Translation.

(1) Are you a secondary school student?

(2) Which grade are you in?

(3) Do both of your parents work?

(4) Are you Chinese?

(5) This is my friend.

(6) That is my elder sister.

(7) We all live in Beijing.

17 Write a paragraph about this family. You might need the following words in the box.

yì jiā	zhù zài běi jīng	méi yǒu	liǎng ge	gōng zuò	shàng	nián jí
一家	住在北京	(没)有	兩個	工作	上……年級	

xué sheng	hé	dōu	xiōng dì jiě mèi	yīng guó rén
學生	和	都	兄弟姐妹	英國人

xiǎo tián
小田

小田一家有……

18 Reading comprehension.

zhè shì wǒ de yì jiā wǒ jiā yǒu sì kǒu
這是我的一家。我家有四口
rén tā men shì bà ba mā ma mèi mei hé
人，他們是爸爸、媽媽、妹妹和
wǒ wǒ mèi mei jiǔ suì shàng sì nián jí wǒ
我。我妹妹九歲，上四年級。我
shí yī suì shàng liù nián jí wǒ men dōu shì xiǎo
十一歲，上六年級。我們都是小
xué shēng wǒ bà ba mā ma dōu gōng zuò wǒ
學生。我爸爸、媽媽都工作。我
men shì zhōng guó rén wǒ men zhù zài běi jīng
們是中國人。我們住在北京。

wáng xīng
王星　　　　爸爸　　　　媽媽　　　　妹妹
bà ba　　　　mā ma　　　　mèi mei

Answer the questions.

wáng xīng jiā yǒu jǐ kǒu rén
(1) 王星家有幾口人？

tā yǒu xiōng dì jiě mèi ma
(2) 他有兄弟姐妹嗎？

tā yǒu méi yǒu mèi mei
(3) 他有沒有妹妹？

tā mèi mei jǐ suì le
(4) 他妹妹幾歲了？

wáng xīng duō dà le
(5) 王星多大了？

tā shàng jǐ nián jí
(6) 他上幾年級？

wáng xīng shì zhōng xué shēng ma
(7) 王星是中學生嗎？

tā men shì nǎ guó rén
(8) 他們是哪國人？

tā men zhù zài nǎr
(9) 他們住在哪兒？

19 Ask questions according to the calendar below.

八月

日	一	二	三	四	五	六
	今天		1	2	3	4
5	6	7	8	9	10	11
12	13	14	15	16	17	18
19	20	21	22	23	24	25
26	27	28	29	30	31	

(1) 今天是幾月幾號？ _____

(2) _____

(3) _____

(4) _____

(5) _____

(6) _____

生 字

		⺅ ⺅ ⺊ ⺊ ⺊ 年										
nián year	年											
		ㄥ ㄠ ㄠ ㄠ ㄠ 糸 糸 約 紉 級 級										
jí grade	級											
		一 十 土 耂 耂 者 者 者 者 都 都										
dōu all; both	都											

生詞

第七課　這　一家人　他們　我們　媽媽　妹妹　弟弟　爸爸
zhè　yì jiā rén　tā men　wǒ men　mā ma　mèi mei　dì di　bà ba

誰　姐姐　哥哥
shuí　jiě jie　gē ge

大　人口　多　方言　歷史　長
dà　rén kǒu　duō　fāng yán　lì shǐ　cháng

第八課　有　七口人　大弟弟　小弟弟　那　一個哥哥　兩個弟弟
yǒu　qī kǒu rén　dà dì di　xiǎo dì di　nà　yí ge gē ge　liǎng ge dì di

和　英國人　幾口人　兄弟姐妹　没有
hé　yīng guó rén　jǐ kǒu rén　xiōng dì jiě mèi　méi yǒu

耳　手　一齊　用　全　身心　學　中文
ěr　shǒu　yì qí　yòng　quán　shēn xīn　xué　zhōngwén

第九課　工作　十二歲　中學生　小學生　了　幾歲　多大
gōng zuò　shí èr suì　zhōng xué shēng　xiǎo xué shēng　le　jǐ suì　duō dà

水　火　土　田　裏　木　雲
shuǐ　huǒ　tǔ　tián　lǐ　mù　yún

第十課　今年　上五年級　大哥　大學生　二哥　都
jīn nián　shàng wǔ nián jí　dà gē　dà xué shēng　èr gē　dōu

總複習

1. People

nǐ men　　wǒ men　　tā men　　tā men　　xué shēng　men
你們　　　我們　　　他們　　　她們　　　學生（們）

dà xué shēng　　zhōng xué shēng　　xiǎo xué shēng
大學生　　　　中學生　　　　小學生

2. Family members

bà ba　　mā ma　　gē ge　　jiě jie　　dì di　　mèi mei
爸爸　　媽媽　　哥哥　　姐姐　　弟弟　　妹妹

xiōng dì jiě mèi　　jiā rén
兄弟姐妹　　　家人

3. Question words and phrases

shuí　　jǐ suì　　duō dà　　jǐ kǒu ge rén　　jǐ nián jí　　jǐ ge xiōng dì jiě mèi
誰　　幾歲　　多大　　幾口（個）人　　幾年級　　幾個兄弟姐妹

4. Measure words

gè　　kǒu
個　　口

5. Adjectives and adverbs

dà　　xiǎo　　duō　　cháng　　qí　　quán　　dōu
大　　小　　多　　長　　齊　　全　　都

6. Verbs

méi yǒu	gōng zuò	shàng xué	xué	yòng
(没)有	工作	上學	學	用

7. Parts of the body

ěr	kǒu	shǒu	shēn	xīn
耳	口	手	身	心

8. Surnames

fāng	shǐ	qí	tián
方	史	齊	田

9. Nature

rì	yuè	shuǐ	tǔ	huǒ	mù	yún	tiān	tián	shān
日	月	水	土	火	木	雲	天	田	山

10. Phonetics

Diphthongs: ai   ei   ui   ao   ou   iu

ie   üe   er   an   en   in

un   ün   ang   eng   ing   ong

11. Questions and answers

tā shì shuí
(1) 他是誰?

tā shì wǒ bà ba
他是我爸爸。

zhè shì shuí
(2) 這是誰?

zhè shì wǒ mā ma
這是我媽媽。

nà shì shuí
(3) 那是誰?

nà shì wǒ mèi mei
那是我妹妹。

74

(4) 你家有幾口人?　　我家有四口人。

(5) 你家有誰?　　我家有爸爸、媽媽、兩個哥哥和我。

(6) 你有沒有兄弟姐妹?　　有。

(7) 你有幾個兄弟姐妹?　　三個。

(8) 你爸爸工作嗎?　　工作。

(9) 你爸爸多大了?　　三十九歲。

(10) 你弟弟幾歲了?　　他六歲了。

(11) 你是中學生嗎?　　是。

(12) 你是不是英國人?　　不是。

(13) 你上幾年級?　　七年級。

測驗

1 Write the pinyin and give the meanings of the following words.

(1) 日 _____ _____

(2) 水 _____ _____

(3) 月 _____ _____

(4) 火 _____ _____

(5) 土 _____ _____

(6) 木 _____ _____

(7) 雲 _____ _____

(8) 天 _____ _____

(9) 田 _____ _____

(10) 山 _____ _____

2 Match the Chinese with the English.

(1) 耳   (a) heart

(2) 身   (b) hand

(3) 口   (c) body

(4) 手   (d) mouth

(5) 心   (e) ear

3 Fill in the blanks with the words in the box.

誰　幾口人　幾歲　幾個
多大　幾年級

(1) 你家有_____？

(2) 你有_____兄弟姐妹？

(3) 你弟弟_____了？

（他六歲了。）

(4) 你爸爸_____了？

（他四十歲了。）

(5) 你姐姐上_____？

（七年級）

(6) 他是_____？

4 Translation.

(1) one elder brother

(2) two elder sisters

(3) four younger brothers

(4) five middle school students

(5) six family members

(6) seven university students

(7) eight Chinese people

(8) eleven friends

5 Put the words / phrases into sentences.

 Example

有　我家　六口人。

⟶ 我家有六口人。

(1) 誰　是　他？

(2) 兄弟姐妹　沒有　她。

(3) 是　那個人　我哥哥。

(4) 是　大學生　他姐姐。

(5) 我　二年級　上。

6 Write the following dates in Chinese.

(1) Tuesday

(2) Sunday

(3) 20th April

(4) 8th June

(5) 29th August

(6) 10th December, 2000

(7) 25th November, 1998

7 Circle the correct pinyin.

(1) 兄　　(a) xiōng　　(b) xōng

(2) 姐　　(a) jě　　(b) jiě

(3) 都　　(a) dōu　　(b) duō

(4) 上　　(a) sàng　　(b) shàng

(5) 工作　(a) gōngzhuò　(b) gōngzuò

(6) 歲　　(a) suì　　(b) shuì

(7) 年　　(a) nián　　(b) lián

8   Answer the following questions.

(1) 你家有幾口人？

(2) 你家有誰？

(3) 你有兄弟姐妹嗎？

(4) 你有幾個兄弟姐妹？

(5) 你有沒有哥哥？

(6) 你有沒有妹妹？

(7) 你今年多大了？

(8) 你是不是中學生？

(9) 你上幾年級？

(10) 你爸爸、媽媽都工作嗎？

9   Reading comprehension.

方雲家有五口人：爸爸、媽媽、哥哥、妹妹和她。她爸爸是中國人，她媽媽是英國人。她今年七歲，上小學二年級。她哥哥今年九歲，上小學四年級。妹妹今年四歲，她還沒有上學。她爸爸、媽媽都工作。他們一家人住在英國。

Answer the questions.

(1) 方雲家有幾口人？

(2) 方雲有幾個兄弟姐妹？

(3) 方雲有沒有姐姐？

(4) 方雲的爸爸是哪國人？

(5) 方雲的媽媽工作嗎？

(6) 他們一家住在哪兒？

第三單元　國家、語言

第十一課　中國在亞洲

1 Write the pinyin for the following places.

(1) 法國 _____

(2) 英國 _____

(3) 德國 _____

(4) 歐洲 _____

(5) 加拿大 _____

(6) 南非 _____

(7) 馬來西亞 _____

(8) 澳大利亞 _____

2 Give the meanings of the following phrases.

xiōng dì
(1) 兄弟 _____

jiě mèi
(2) 姐妹 _____

nián jí
(3) 年級 _____

kě shì
(4) 可是 _____

lì shǐ
(5) 歷史 _____

rén kǒu
(6) 人口 _____

fāng yán
(7) 方言 _____

qù guo
(8) 去過 _____

guó jiā
(9) 國家 _____

xīng qī
(10) 星期 _____

xìng míng
(11) 姓名 _____

xué sheng
(12) 學生 _____

3 Dismantle the characters into parts.

xiè
(1) 謝 言 身 寸

lì
(2) 利 ____ ____

fǎ
(3) 法 ____ ____

yáng
(4) 洋 ____ ____

ōu
(5) 歐 ____ ____

xīng
(6) 星 ____ ____

zhōu
(7) 洲 ____ ____

yīng
(8) 英 ____ ____

cuò
(9) 錯 ____ ____

hái
(10) 還 ____ ____

nà
(11) 那 ____ ____

xìng
(12) 姓 ____ ____

ān
(13) 安 ____ ____

xiāng
(14) 香 ____ ____

4 Put the words / phrases into sentences.

qù guo　tā　jiā ná dà
Example 去過　他　加拿大。

→ 他去過加拿大。

tā　hěn duō　qù guo　guó jiā
(1) 她　很多　去過　國家。

dōu　wǒ bà ba　mā ma　gōng zuò
(2) 都　我爸爸、媽媽　工作。

ma　qù guo　nǐ　dé guó
(3) 嗎　去過　你　德國？

ōu zhōu　yīng guó　zài
(4) 歐洲　英國　在。

zhù zài　tā gē ge　yīng guó
(5) 住在　他哥哥　英國。

79

5 Circle the correct pinyin.

(1) 歐洲   (a) ōuzhōu   (b) ōujōu

(2) 加拿大   (a) jiānádà   (b) zhiānádà

(3) 去過   (a) qùguo   (b) qùguò

(4) 南非   (a) nánfāi   (b) nánfēi

(5) 澳大利亞   (a) àodàlíyà   (b) àodàlìyà

(6) 馬來西亞   (a) mǎléisīyà   (b) mǎláixīyà

(7) 大洋洲   (a) dàyángzhōu   (b) dàyángzōu

(8) 國家   (a) guōjiā   (b) guójiā

6 True or false?

  ( )(1) ào dà lì yà zài dà yáng zhōu
澳大利亞在大洋洲。

  ( )(2) yīng guó zài nán fēi
英國在南非。

  ( )(3) jiā ná dà zài běi měi zhōu
加拿大在北美洲。

  ( )(4) mǎ lái xī yà zài fēi zhōu
馬來西亞在非洲。

  ( )(5) měi guó zài yà zhōu
美國在亞洲。

  ( )(6) fǎ guó hé dé guó dōu zài ōu zhōu
法國和德國都在歐洲。

  ( )(7) xiānggǎng zài yà zhōu
香港在亞洲。

7 Give the meanings of the radicals.
Find a word for each radical.

(1) 禾 _____ _____

(2) 艹 _____ _____

(3) 氵 _____ _____

(4) 力 _____

(5) 阝 _____

(6) 言 _____

(7) 辶 _____

(8) 白 _____

(9) 夕 _____

8 Correct the mistakes.

(1) ào 澳 _____

(2) měi 美 _____

(3) yáng 洋 _____

(4) fēi 非 _____

(5) nán 南 _____

(6) ōu 歐 _____

(7) xī 酉 _____

(8) jiā 加 _____

(9) dé 德 _____

(10) yà 亜 _____

9 Reading comprehension.

wáng fēi jīn nián bā suì　 tā jiā yǒu sì
王非今年八歲。她家有四

kǒu rén　 bà ba　　 mā ma　　 jiě jie hé
口人： 爸爸、 媽媽、 姐姐和

tā。　 tā bà ba shì zhōng guó rén　　 tā mā
她。 她爸爸是 中 國人， 她媽

ma shì yīng guó rén　　 wáng fēi de jiě jie jīn
媽是英國人。 王非的姐姐今

nián shí èr suì　 shàng shí nián jí　 wáng fēi shàng
年十二歲,上十年級。王非上

xiǎo xué sān nián jí　　 tā bà ba　　 mā ma dōu
小學三年級。她爸爸、 媽媽都

gōng zuò　　 tā men yì jiā rén qù guo hǎo duō
工作。 他們一家人去過好多

guó jiā　　 tā men qù guo fǎ guó　　 yīng guó
國家。他們去過法國、英國、

dé guó　　 měi guó　　 jiā ná dà hé rì běn。
德國、 美國、 加拿大和日本。

wáng fēi
王非

True or false?

wáng fēi jīn nián shàng shí nián jí
(　)(1) 王非今年 上 十年級。

wáng fēi de mā ma shì zhōng guó rén
(　)(2) 王非的媽媽是 中 國人。

wáng fēi méi yǒu jiě jie
(　)(3) 王非沒有姐姐。

wáng fēi méi yǒu qù guo rì běn
(　)(4) 王非沒有去過日本。

10 Transcribe the pinyin into Chinese characters.

(1) xīngqīliù _____

(2) zuótiān _____

(3) méiyǒu _____

(4) jiānádà _____

(5) àodàlìyà _____

(6) shàngxué _____

11 Answer the questions.

nǐ jīn nián duō dà le
(1) 你今年多大了?

nǐ de shēng ri shì jǐ yuè jǐ hào
(2) 你的 生日是幾月幾號?

nǐ jiā yǒu jǐ kǒu rén
(3) 你家有幾口人?

nǐ jiā yǒu shuí
(4) 你家有誰?

nǐ jīn nián shàng jǐ nián jí
(5) 你今年上幾年級?

nǐ de hǎo péng you shì shuí
(6) 你的好朋友是誰?

nǐ qù guo shén me guó jiā
(7) 你去過什麼國家?

nǐ bà ba　　 mā ma dōu gōng zuò ma
(8) 你爸爸、 媽媽都 工作嗎?

12 Re-arrange the sentences into the order of the English translation.

(1) 李歐今年十歲。
lǐ ōu jīn nián shí suì

(2) 他在日本工作。
tā zài rì běn gōng zuò

(3) 他上小學六年級。
tā shàng xiǎo xué liù nián jí

(4) 李歐的媽媽是日本人。
lǐ ōu de mā ma shì rì běn rén

(5) 他去過中國、美國、加拿大、法國、英國和澳大利亞。
tā qù guo zhōng guó měi guó jiā ná dà fǎ guó yīng guó hé ào dà lì yà

(6) 李歐的爸爸是美國人。
lǐ ōu de bà ba shì měi guó rén

(7) 他去過很多國家。
tā qù guo hěn duō guó jiā

(8) 他們一家人住在日本。
tā men yì jiā rén zhù zài rì běn

Li Ou is ten years old. He is in primary six. He has been to many countries. He has been to China, America, Canada, France, England and Australia. Li Ou's father is American. He works in Japan. Li Ou's mother is Japanese. The family lives in Japan.

13 Find the opposites.

shì	xiǎo	nán	qù	fēi	běi	dà	lái
是	小	南	去	非	北	大	來

(1) 是 ⟶ 非

(2) _____ ⟶ _____

(3) _____ ⟶ _____

(4) _____ ⟶ _____

14 Finish the following paragraph about yourself.

我叫_____。我今年
wǒ jiào   wǒ jīn nián

_____歲，上____年級。
suì   shàng   nián jí

我家有_____人，他們
wǒ jiā yǒu   rén   tā men

是_____。
shì

我爸爸是_____人，我媽
wǒ bà ba shì   rén wǒ mā

媽是_____人。我爸爸
ma shì   rén wǒ bà ba

_____，媽媽_____ (work)。
mā ma

我去過_____,
wǒ qù guo

可是我沒有去過_____。
kě shì wǒ méi yǒu qù guo

我們_____ (live)。
wǒ men

82

生字

		一	丁	丌	戸	亞	亞	亞	亞			
yà second; Asia	亞											
		丶	丶	氵	氵	沪	沙	洲	洲	洲		
zhōu continent	洲											
		丁	力	加	加	加						
jiā add	加											
		丿	入	仌	仐	合	合	含	拿	拿	拿	
ná take	拿											
		丶	丷	丷	半	半	羊	美	美			
měi beautiful	美											
		丆	丆	口	巴							
bā hope earnestly	巴											
		一	十	广	内	内	南	南	南			
nán south	南											
		丶	丶	氵	氵	汇	汁	法	法			
fǎ law; method	法											
		丿	彳	彳	彳	衤	衦	徔	徔	徔	德	德	德	德
dé morals; virtue	德											
		丨	丨	刂	刲	非	非	非	非			
fēi wrong; not; no	非											
		一	厂	丆	百	百	百	百	品	品	區	區	歐	歐	歐
ōu Europe; surname	歐											

生字

		一 ノ 厂 厂 厂 厃 來 來 來								
lái come	來									
		丶 丶 氵 氵 氵 泸 泸 泮 洋 洋								
yáng ocean	洋									
		丶 丶 氵 氵 汀 汀 泃 泃 泡 澳 澳 澳 澳 澳 澳								
ào inlet of the sea; bay	澳									
		一 十 土 去 去								
qù go	去									
		丨 冂 冂 円 冎 咼 咼 咼 咼 渦 渦 過								
guò pass; cross over; particle	過									

識字（四）

		⁷ 了 子									
zǐ son	子										
		⟍ ⟍⟋ ⟍⟋⟍ 吕 吕 吴 吳									
wú surname	吳										
		⁷ ⁷ 弓									
gōng bow	弓										
		⁷ ⁷ 弓 弓 弘 弘 弘 張 張 張 張									
zhāng surname; measure word	張										
		一 十 古 古 古									
gǔ ancient	古										
		一 十 古 古 古 古 胡 胡 胡 胡									
hú surname	胡										

識字（四）

1

Separate the surnames from the first names.

mǎ	yún	wú	lǐ	míng	hú
馬	雲	吳	李	明	胡
zhāng	gǔ	shǐ	fāng	wáng	qí
張	古	史	方	王	齊
quán	shān	tiān	zhōng		
全	山	天	中		

xìng 姓   **míng** 名

(1) ___馬___   (a) ___雲___

(2) _____   (b) _____

(3) _____   (c) _____

(4) _____   (d) _____

(5) _____   (e) _____

(6) _____   (f) _____

2

Match the pinyin with the Chinese.

(1) yán   (a) 古

(2) shuǐ   (b) 言

(3) gǔ   (c) 胡

(4) hú   (d) 子

(5) wú   (e) 水

(6) gōng   (f) 長

(7) cháng   (g) 雲

(8) mù   (h) 弓

(9) zǐ   (i) 木

(10) yún   (j) 吳

3

Give the meanings of each word.

① {
wén
文 _____

qí
齊 _____

zhè
這 _____
}

② {
lǐ
里 _____

zǎo
早 _____

gǔ
古 _____
}

4

Give the meanings of the following phrases.

①月 {
shàng ge yuè
上 個 月

zhè ge yuè
這 個 月

yuè lì
月 曆
}

②古 {
gǔ rén
古 人

gǔ wén
古 文
}

第十二課　他去過很多國家

1 Write the pinyin for the following phrases.

(1) 筆友 _____ (5) 現在 _____

(2) 地方 _____ (6) 非洲 _____

(3) 但是 _____ (7) 哪兒 _____

(4) 出生 _____ (8) 名字 _____

2 Write the following dates in Chinese.

(1) New Years's Day _____

(2) Christmas Day _____

(3) April Fool's Day _____

(4) Valentine's Day _____

(5) Halloween _____

(6) your birthday _____

3 Give the meanings of the radicals. Group the characters according to their radicals.

(1) 土 _____ _____

(2) 欠 _____ _____

(3) 竹 _____ _____

(4) 彳 _____ _____

(5) 亻 _____ _____

(6) 氵 _____ _____

dàn 但　ōu 歐　dé 德　zuò 作　dì 地
děng 等　míng 明　bǐ 筆　xiàn 現　ào 澳
shì 是　zhōu 洲　lì 利

4 Match the Chinese with the English.

(1) chū qu 出去　　(a) sunrise

(2) chū kǒu 出口　　(b) land

(3) rì chū 日出　　(c) go out

(4) chū guó 出國　　(d) export; exit

(5) chū míng 出名　　(e) local people

(6) tǔ dì 土地　　(f) famous

(7) tián dì 田地　　(g) go abroad

(8) běn dì rén 本地人　　(h) farmland

(9) dì lǐ 地理　　(i) geography

5 Complete the form about yourself.

xìng míng 姓名：	chū shēng rì qī 出生日期：	chū shēng dì 出生地：
nán nǚ 男／女：	duō dà le 多大了：	nián jí 年級：
nǎ guó rén 哪國人：	zhù zài nǎr 住在哪兒：	
bà ba de xìng míng 爸爸的姓名：		mā ma de xìng míng 媽媽的姓名：

6 Reading comprehension.

wǒ jiào shǐ xiǎo yún, jīn nián shí qī
我叫史小雲，今年十七

suì shì zhōng xué shēng wǒ jīn nián shàng shí
歲，是中學生。我今年上十

èr nián jí wǒ chū shēng zài zhōng guó dàn
二年級。我出生在中國，但

shì wǒ shì měi guó rén wǒ qù guo ōu zhōu
是我是美國人。我去過歐洲、

yà zhōu hé dà yáng zhōu dàn shì wǒ méi yǒu
亞洲和大洋洲，但是我沒有

qù guo fēi zhōu wǒ xiàn zài zhù zài měi guó
去過非洲。我現在住在美國。

True or false?

shǐ xiǎo yún jīn nián shàng shí yī nián jí
( )(1) 史小雲今年上十一年級。

tā shì zhōng guó rén
( )(2) 她是中國人。

tā chū shēng zài měi guó
( )(3) 她出生在美國。

tā méi yǒu qù guo fēi zhōu
( )(4) 她沒有去過非洲。

7 Translation.

wáng ān xiàn zài zhù zài shàng hǎi
(1) 王安現在住在上海。

wǒ de bǐ yǒu xìng wú
(2) 我的筆友姓吳。

tā bà ba qù guo hěn duō dì fang
(3) 他爸爸去過很多地方。

wǒ mèi mei de shēng ri shì qī yuè bā rì
(4) 我妹妹的生日是七月八日。

nǐ qù guo shén me guó jiā
(5) 你去過什麼國家？

tā chū shēng zài běi jīng dàn shì tā shì
(6) 她出生在北京，但是她是

rì běn rén
日本人。

wǒ qù guo yīng guó dàn shì wǒ méi yǒu
(7) 我去過英國，但是我沒有

qù guo dé guó hé fǎ guó
去過德國和法國。

wǒ bà ba yě xué zhōng wén
(8) 我爸爸也學中文。

tā bà ba gōng zuò dàn shì tā mā ma
(9) 她爸爸工作，但是她媽媽

bù gōng zuò
不工作。

8   Match the Chinese with the English.

wǒ bà ba qù guo běi jīng
(1) 我爸爸去過北京。

(a) Xiao Ming has learned French before.

xiǎo míng xué guo fǎ wén
(2) 小明學過法文。

(b) Wang Yue used to have a Japanese friend.

wáng yuè yǒu guo yí ge rì běn péng you
(3) 王月有過一個日本朋友。   (c) My father has been to Beijing.

tā mā ma zài shàng hǎi zhù guo
(4) 她媽媽在上海住過。

(d) He has studied at university.

tā shàng guo dà xué
(5) 他上過大學。

(e) Her mother used to live in Shanghai.

9   Reading comprehension.

lǐ ān yǒu yí ge bǐ yǒu jiào fāng dà nián fāng dà nián jīn nián
李安有一個筆友，叫方大年。方大年今年
shí sān suì shàng jiǔ nián jí tā xiàn zài zhù zài běi jīng tā jiā
十三歲，上九年級。他現在住在北京。他家
yǒu sān kǒu rén tā bà ba mā ma hé tā tā qù guo hěn duō dì
有三口人：他爸爸、媽媽和他。他去過很多地
fang tā qù guo yīng guó fǎ guó ào dà lì yà měi guó jiā
方，他去過英國、法國、澳大利亞、美國、加
ná dà děng guó jiā tā bà ba shì zhōng guó rén tā mā ma shì měi
拿大等國家。他爸爸是中國人，他媽媽是美
guó rén tā bà ba gōng zuò tā mā ma yě gōng zuò
國人。他爸爸工作，他媽媽也工作。

fāng dà nián
方大年

Answer the questions.

fāng dà nián jīn nián duō dà le
(1) 方大年今年多大了？

tā qù guo shén me dì fang
(4) 他去過什麼地方？

tā shàng jǐ nián jí
(2) 他上幾年級？

tā bà ba shì nǎ guó rén
(5) 他爸爸是哪國人？

tā qù guo hěn duō dì fang ma
(3) 他去過很多地方嗎？

tā bà ba mā ma dōu gōng zuò ma
(6) 他爸爸、媽媽都工作嗎？

10 Write the country / city names in Chinese.

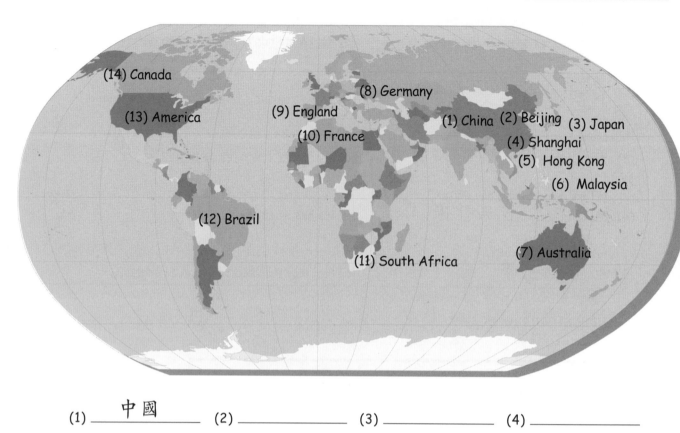

(14) Canada
(8) Germany
(9) England
(13) America
(10) France
(1) China (2) Beijing (3) Japan
(4) Shanghai
(5) Hong Kong
(6) Malaysia
(12) Brazil
(11) South Africa
(7) Australia

(1) ___中國___ (2) _____ (3) _____ (4) _____

(5) _____ (6) _____ (7) _____ (8) _____

(9) _____ (10) _____ (11) _____ (12) _____

(13) _____ (14) _____

11 Group the characters according to their radicals.

(1) 言 ___謝、___ (5) 宀 _____

(2) 辶 _____ (6) 女 _____

(3) 亻 _____ (7) 艹 _____

(4) 氵 _____ (8) 竹 _____

mā 媽	ān 安	zhù 住	yīng 英	zhè 這
tā 他	shuí 誰	zuò 作	zhōu 洲	xiè 謝
gǎng 港	men 們	jiā 家	dàn 但	jiě 姐
nǐ 你	yáng 洋	guò 過	hǎi 海	hái 還
hǎo 好	děng 等	mèi 妹	bǐ 筆	xìng 姓

12 Match the Chinese with the English.

tā shì ge yǒumíng de zuò jiā
(1) 他是個有名的作家。

xiǎo wáng xiàn zài zhù zài měi guó
(2) 小王現在住在美國。

shàng hǎi bú shì wǒ de chū shēng dì
(3) 上海不是我的出生地。

zhè xué qī hěncháng   yǒu wǔ ge yuè
(4) 這學期很長，有五個月。

děng deng wǒ
(5) 等等我。

wǒ de bǐ yǒu xìng wáng
(6) 我的筆友姓王。

(a) Shanghai is not my birthplace.

(b) He is a well-known writer.

(c) This term is long, five months.

(d) My penpal's surname is Wang.

(e) Xiao Wang is now living in America.

(f) Wait for me.

13 Put the following information into a paragraph.

xìng míng   lǐ xiāng xiang
姓名：李香香

chū shēng dì   shàng hǎi
出生地：上海

chū shēng nián yuè rì   nián yuè rì
出生年月日：1986 年 7 月 28 日

nián jí   shí nián jí
年級：十年級

bà ba   zhōng guó rén
爸爸：中國人

mā ma   jiā ná dà rén
媽媽：加拿大人

qù guo de guó jiā   rì běn měi guó hé
去過的國家：日本、美國和

jiā ná dà
加拿大

14 Fill in the blanks in Chinese.

nǐ jiào   míng zi
(1) 你叫＿＿＿＿名字？

nǐ shì nǎ   rén
(2) 你是哪＿＿＿＿人？

nǐ jīn nián   dà le
(3) 你今年＿＿＿＿大了？

nǐ jīn niánshàng   nián jí
(4) 你今年上＿＿＿＿年級？

nǐ jiā yǒu   kǒu rén
(5) 你家有＿＿＿＿口人？

nǐ yǒu méi   xiōng dì jiě mèi
(6) 你有沒＿＿＿＿兄弟姐妹？

jīn tiān shì jǐ   jǐ hào
(7) 今天是幾＿＿＿＿幾號？

jīn tiān   qī jǐ
(8) 今天＿＿＿＿期幾？

Example

nán fēi zài nǎr
A: 南非在哪兒？

nán fēi zài fēi zhōu
B: 南非在非洲。

dà yáng zhōu
大洋洲

fēi zhōu
非洲

(1)	nán fēi 南非	(9)	ào dà lì yà 澳大利亞
(2)	bā xī 巴西	(10)	zhōng guó 中國
(3)	dé guó 德國	(11)	fǎ guó 法國
(4)	jiā ná dà 加拿大	(12)	yìn dù 印度
(5)	měi guó 美國	(13)	yìn dù ní xī yà 印度尼西亞
(6)	yīng guó 英國	(14)	xīn jiā pō 新加坡
(7)	yì dà lì 意大利	(15)	xī bān yá 西班牙
(8)	mǎ lái xī yà 馬來西亞	(16)	rì běn 日本

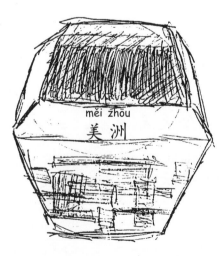

měi zhōu
美洲

yà zhōu
亞洲

ōu zhōu
歐洲

生字

		ノ ′ ⺮ ⺮ ⺮ ⺮ 笁 笠 笙 笙 筆 筆									
bǐ pen	筆										
		一 十 土 圵 地 地									
dì earth; fields; ground	地										
		ノ ′ ⺮ ⺮ ⺮ ⺮ 笁 笠 笙 笙 等 等									
děng etc.; rank; wait	等										
		ノ 亻 个 们 伹 但									
dàn but	但										
		ㄴ 凵 屮 出 出									
chū out; exit	出										
		一 二 干 王 玏 玒 玥 珇 珇 現 現									
xiàn present	現										

識字（五）

		く	ㄥ	女						
nǚ female	女									
		フ	力							
lì power; strength	力									
		丶	冂	冃	田	田	男	男		
nán male	男									
		丿	冂	冂	冃	冃	門	門	門	
mén door	門									
		丿	冂	冂	冃	冃	門	門	門	問	問
wèn ask	問									
		丨	小	小	少	尖	尖			
jiān tip; pointed; sharp	尖									

1 Match the pictures with the words in the box.

wáng zǐ
(1) 王子 **e**

nán rén
(2) 男人

guówáng
(3) 國王

nǚ wáng
(4) 女王

nǚ rén
(5) 女人

2 Give the meanings of the following phrases.

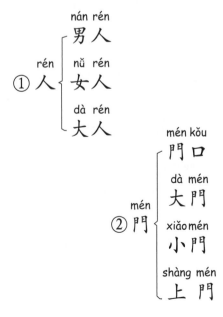

rén
① 人
nán rén
男人
nǚ rén
女人
dà rén
大人

mén
② 門
mén kǒu
門口
dà mén
大門
xiǎo mén
小門
shàng mén
上門

lì
③ 力
lì xué
力學
shuǐ lì
水力
rén lì
人力

nǚ
④ 女
zǐ nǚ
子女
ér nǚ
兒女
nǚ ér
女兒
nǚ zǐ
女子
nǚ wáng
女王

95

第十三課　中國人說漢語

1

Finish the following sentences by using the words in the box.

fǎ guó rén shuō
(1) 法國人說 _____ 。

dé guó rén shuō
(2) 德國人說 _____ 。

jiā ná dà rén shuō
(3) 加拿大人說 _____ 。

yīng guó rén shuō
(4) 英國人說 _____ 。

měi guó rén shuō
(5) 美國人說 _____ 。

rì běn rén shuō
(6) 日本人說 _____ 。

nán fēi rén shuō
(7) 南非人說 _____ 。

xiāng gǎng rén shuō
(8) 香港人說 _____ 。

mǎ lái xī yà rén shuō
(9) 馬來西亞人說 _____ 。

yīng yǔ
(a) 英語

mǎ lái yǔ
(b) 馬來語

fǎ yǔ
(c) 法語

rì yǔ
(d) 日語

guǎng dōng huà
(e) 廣東話

pǔ tōng huà
(f) 普通話

dé yǔ
(g) 德語

hàn yǔ
(h) 漢語

2

True or false?

二〇〇一年						一月
日	一	二	三	四	五	六
今天 1	1	2	3	4	5	6
7	8	9	10	11	12	13
14	15	16	17	18	19	20
21	22	23	24	25	26	27
28	29	30	31	二月 1	2	3

zhè ge yuè shì yī yuè
( )(1) 這個月是一月。

shàng ge yuè shì èr yuè
( )(2) 上個月是二月。

jīn nián shì èr líng líng yī nián
( )(3) 今年是二〇〇一年。

jīn tiān shì yī yuè shí hào
( )(4) 今天是一月十號。

jīn tiān xīng qī sān
( )(5) 今天星期三。

zuó tiān xīng qī sì
( )(6) 昨天星期四。

míng tiān xīng qī èr
( )(7) 明天星期二。

yī yuè èr shí èr rì shì xīng qī yī
( )(8) 一月二十二日是星期一。

3 Write the pinyin for the following phrases.

(1) 普通話 _____

(2) 廣東話 _____

(3) 現在 _____

(4) 地方 _____

(5) 出生 _____

(6) 但是 _____

(7) 筆友 _____

(8) 德語 _____

4 Give the meanings of the following phrases.

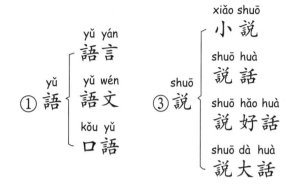

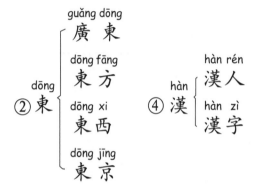

5 True or false?

( ) (1) yīng guó rén shuō yīng yǔ
英國人說英語。

( ) (2) měi guó rén shuō fǎ yǔ
美國人說法語。

( ) (3) jiā ná dà rén dōu shuō yīng yǔ hé
加拿大人都說英語和
fǎ yǔ
法語。

( ) (4) mǎ lái xī yà rén shuō mǎ lái yǔ
馬來西亞人說馬來語。

( ) (5) nán fēi rén shuō yīng yǔ
南非人說英語。

( ) (6) xiāng gǎng rén shuō yīng yǔ hé guǎng
香港人說英語和廣
dōng huà
東話。

( ) (7) rì běn rén shuō rì yǔ hé yīng yǔ
日本人說日語和英語。

6 Match the Chinese with the English.

(1) děng rén
等人   (a) last year

(2) děng jí
等級   (b) third class

(3) sān děng
三等   (c) wait for someone

(4) qù nián
去年   (d) pen name

(5) chū qu
出去   (e) date of birth

(6) chū shēng rì qī
出生日期   (f) go out

(7) shàng ge yuè
上個月   (g) grade; rank

(8) bǐ míng
筆名   (h) last month

7 Give the meanings of the following radicals.

(1) 刂 _____ (6) 欠 _____

(2) 辶 _____ (7) 飠 _____

(3) 氵 _____ (8) 力 _____

(4) 竹 _____ (9) 金 _____

(5) 夕 _____ (10) 人 _____

8 Correct the mistakes.

(1) shuō hàn yǔ
说 汉语 _____

(2) pǔ tōng huà
晋 通 话 _____

(3) guǎng dōng huà
广 车 话 _____

(4) děng
等 _____

(5) xiàn zài
现 在 _____

9 Fill in the blanks with the words in the box.

shuí	shén me	jǐ	nǎr
誰	什麼	幾	哪兒

nǎ	duō dà
哪	多大

(1) nǐ jiào ___ míng zi
你叫 _____ 名字？

(2) nǐ jiā yǒu
你家有 _____？

(3) nǐ yǒu ___ ge xiōng dì jiě mèi
你有 _____ 個兄弟姐妹？

(4) nǐ shì ___ guó rén
你是 _____ 國人？

(5) nǐ men yì jiā rén xiàn zài zhù zài
你們一家人現在住在 _____？

(6) nǐ jīn nián ___ le
你今年 _____ 了？

(7) nǐ jīn nián shàng ___ nián jí
你今年上 _____ 年級？

(8) nǐ qù guo ___ dì fang
你去過 _____ 地方？

10 Translation.

(1) dé guó zài ōu zhōu
德國在歐洲。

(2) ào dà lì yà zài dà yáng zhōu
澳大利亞在大洋洲。

(3) nán fēi zài fēi zhōu
南非在非洲。

(4) měi guó zài běi měi zhōu
美國在北美洲。

(5) jiā ná dà rén shuō yīng yǔ hé fǎ yǔ
加拿大人說英語和法語。

(6) xiāng gǎng rén shuō guǎng dōng huà hé yīng yǔ
香港人說廣東話和英語。

(7) xiǎo míng chū shēng zài mǎ lái xī yà
小明出生在馬來西亞。

(8) wáng lì qù guo hěn duō dì fang
王力去過很多地方。

(9) lǐ xiāng yǒu liǎng ge bǐ yǒu
李香有兩個筆友。

11 Give the meanings of the following words.

(1) 田 tián _____

(7) 子 zǐ _____

(2) 力 lì _____

(8) 古 gǔ _____

(3) 男 nán _____

(9) 月 yuè _____

(4) 尖 jiān _____

(10) 弓 gōng _____

(5) 問 wèn _____

(11) 天 tiān _____

(6) 長 cháng _____

(12) 早 zǎo _____

12 Translation.

(1) I have one penpal. He is Japanese.

(2) She has been to many places.

(3) He has not been to Germany.

(4) I speak Cantonese, Putonghua and English.

(5) My younger sister was born on July 15th, 1972.

(6) My father works, but my mother does not work.

(7) Canada is in North America.

(8) French people speak French.

13 Reading comprehension. Then write a similar passage about yourself.

wǒ jiào wén
我叫文
fāng　　wǒ shì zhōng
方，我是中
guó rén　　dàn shì
國人，但是
wǒ chū shēng zài yīng
我出生在英
guó　　wǒ hé bà ba　　mā ma xiàn zài zhù
國。我和爸爸、媽媽現在住
zài xiāng gǎng　　wǒ bà ba zài běi jīng gōng
在香港。我爸爸在北京工
zuò　　wǒ mā ma zài xiāng gǎng gōng zuò　　wǒ
作。我媽媽在香港工作。我
qù guo hěn duō dì fang　　wǒ qù guo dà yáng
去過很多地方，我去過大洋
zhōu de ào dà lì yà　　běi měi zhōu de měi
洲的澳大利亞，北美洲的美
guó hé jiā ná dà　　ōu zhōu de dé guó
國和加拿大，歐洲的德國、
fǎ guó hé yīng guó　　yà zhōu de rì běn hé
法國和英國，亞洲的日本和
mǎ lái xī yà　　dàn shì wǒ méi yǒu qù guo
馬來西亞，但是我沒有去過
fēi zhōu
非洲。

Answer the questions.

wén fāng chū shēng zài nǎr
(1) 文方出生在哪兒？

tā xiàn zài zhù zài nǎr
(2) 她現在住在哪兒？

tā qù guo jǐ ge guó jiā
(3) 她去過幾個國家？

tā yǒu méi yǒu qù guo nán fēi
(4) 她有沒有去過南非？

生 字

		﹅ ﹅ ﹅ ﹅ ﹅ 言 言 言 訁 訃 訍 說
shuō speak; talk; say	說	﹅ ﹅ ﹅ ﹅ ﹅ ﹅ ﹅ 洋 洋 淳 淳 漢 漢
hàn the Han nationality	漢	﹅ ﹅ ﹅ ﹅ ﹅ 言 言 言 訁 訡 語 語 語 語
yǔ language	語	﹅ ﹅ 广 广 广 产 庐 庐 庐 庐 庐 廣 廣
guǎng broad	廣	﹅ ﹅ ﹅ 百 百 亩 東 東 東
dōng east	東	﹅ ﹅ ﹅ ﹅ ﹅ 言 言 言 訁 訢 訢 話 話
huà word; talk	話	﹅ ﹅ ﹅ ﹅ ﹅ ﹅ ﹅ 並 並 普 普 普
pǔ general; universal	普	﹅ ﹅ ﹅ ﹅ 月 月 月 甬 甬 涌 涌 通
tōng open; through	通	

識字（六）

		一 十 土 耂 耂 老									
lǎo old	老										
		丨 丨 小 少									
shào young	少										
		﹑ ﹑ ﹑ ﹢ 立 立 辛 辛 亲 亲 新 新 親 親 親 親 親									
qīn parent; relative	親										

1 Choose the words in the box to describe the people.

nán   nǚ   lǎo   shào
男   女   老   少

男、老 ①

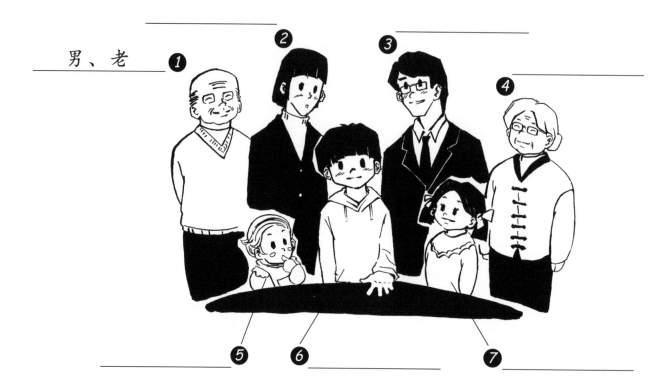

2 Give the meanings of the following phrases.

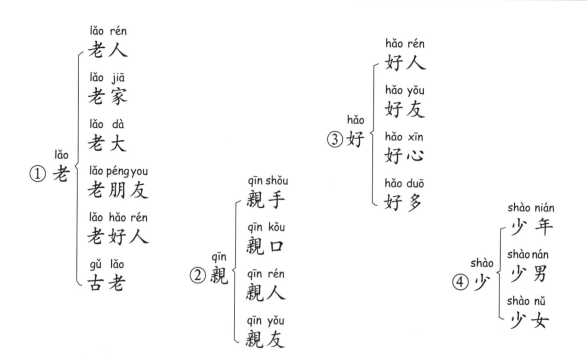

lǎo rén
老人

lǎo jiā
老家

lǎo dà
老大

① lǎo
老

lǎo péng you
老朋友

lǎo hǎo rén
老好人

gǔ lǎo
古老

② qīn
親

qīn shǒu
親手

qīn kǒu
親口

qīn rén
親人

qīn yǒu
親友

③ hǎo
好

hǎo rén
好人

hǎo yǒu
好友

hǎo xīn
好心

hǎo duō
好多

④ shào
少

shào nián
少年

shào nán
少男

shào nǚ
少女

第十四課　她會說好幾種語言

1 Circle the correct pinyin.

(1) 漢語　(a) hànyǔ　(b) hàngyǔ

(2) 昨天　(a) zhuótiān　(b) zuótiān

(3) 世界　(a) shìjiè　(b) sìjiè

(4) 想　(a) xiǎng　(b) xiān

(5) 種　(a) zǒng　(b) zhǒng

(6) 會　(a) huì　(b) hìu

(7) 普通　(a) pǔtōng　(b) pǒtōng

(8) 廣東　(a) guǎndōng　(b) guǎngdōng

2 Find the radical. Give the meanings of each word.

(1) 想 心　think; want to; would like to

(2) 會 _____

(3) 爺 _____

(4) 奶 _____

(5) 等 _____

(6) 都 _____

(7) 級 _____

(8) 歲 _____

3 Find the missing word.

多 duō　是 shì　語 yǔ　界 jiè
言 yán　生 shēng　話 huà　作 zuò
在 zài　友 yǒu　年 nián　種 zhǒng
過 guò　家 jiā　文 wén　方 fāng

(1) 廣東話 guǎng dōng

(2) 漢 hàn _____

(3) 現 xiàn _____

(4) 今 jīn _____

(5) 中 zhōng _____

(6) 世 shì _____

(7) 出 chū _____

(8) 但 dàn _____

(9) 工 gōng _____

(10) 好幾 hǎo jǐ _____

(11) 語 yǔ _____

(12) 國 guó _____

(13) 地 dì _____

(14) 筆 bǐ _____

4 Fill in the blanks with the words in the box.

jǐ	duō dà	nǎr	nǎ	shén me
幾	多大	哪兒	哪	什麼

nǐ mèi mei jīn nián　　　suì le
(1) 你妹妹今年 _____ 歲了？

tā jīn nián wǔ suì le
她今年五歲了。

nǐ shì　　　guó rén　　wǒ shì zhōng guó rén
(2) 你是___國人？ 我是中國人。

xiǎo wén xiàn zài zhù zài
(3) 小文現在住在_____？

tā xiàn zài zhù zài běi jīng
她現在住在北京。

xiǎo wáng huì shuō　　　zhǒng yǔ yán
(4) 小王會説_____種語言？

tā huì shuō sān zhǒng yǔ yán
他會説三種語言。

lǐ lì huì shuō　　　yǔ yán
(5) 李力會説_____語言？

tā huì shuō yīng yǔ　　fǎ yǔ hé hàn yǔ
他會説英語、法語和漢語。

nǐ gē ge jīn nián　　　le
(6) 你哥哥今年_____了？

tā jīn nián èr shí wǔ suì le
他今年二十五歲了。

nǐ jīn nián shàng　　　nián jí
(7) 你今年上_____年級？

wǒ jīn nián shàng bā nián jí
我今年上八年級。

nǐ xìng　　　wǒ xìng mǎ
(8) 你姓_____？ 我姓馬。

nǐ jiào　　　míng zi
(9) 你叫_____名字？

wǒ jiào wáng yuè
我叫王月。

nǐ jiā yǒu　　　kǒu rén
(10) 你家有_____口人？

wǒ jiā yǒu wǔ kǒu rén
我家有五口人。

5 Transcribe the pinyin into Chinese characters.

(1) yéye _____　(6) yǔyán _____

(2) nǎinai _____　(7) guǎngdōng _____

(3) shìjiè _____　(8) pǔtōng _____

(4) huì _____　(9) déyǔ _____

(5) xiǎng _____　(10) hànyǔ _____

6 Correct the mistakes.

huì
(1) 会 _____

yán
(2) 言 _____

yé
(3) 爺 _____

nǎi
(4) 奶 _____

zhǒng
(5) 柙 _____

jiè
(6) 界 _____

de
(7) 旳 _____

zhù
(8) 佳 _____

nǎ
(9) 哪 _____

qīn
(10) 亲 _____

7 | Match the question with the answer.

xiǎo míng huì shuō jǐ zhǒng yǔ yán
(1) 小明會説幾種語言？

zhāng lì qù guo shén me guó jiā
(2) 張力去過什麼國家？

lí yún jīn nián duō dà le
(3) 李雲今年多大了？

tián lì jīn nián shàng jǐ nián jí
(4) 田力今年上幾年級？

mǎ yīng shì nǎ guó rén
(5) 馬英是哪國人？

nǐ yé ye nǎi nai xiàn zài zhù zài nǎr
(6) 你爺爺、奶奶現在住在哪兒？

nǐ gē ge xiǎng xué shén me yǔ yán
(7) 你哥哥想學什麼語言？

shǐ yán de bà ba zài nǎr gōng zuò
(8) 史言的爸爸在哪兒工作？

lí yún jīn nián shí wǔ suì
(a) 李雲今年十五歲。

xiǎo míng huì shuō sì zhǒng yǔ yán
(b) 小明會説四種語言。

zhāng lì qù guo fǎ guó yīng guó hé dé guó
(c) 張力去過法國、英國和德國。

mǎ yīng shì zhōng guó rén
(d) 馬英是中國人。

tián lì jīn nián shàng shí nián jí
(e) 田力今年上十年級。

wǒ gē ge xiǎng xué hàn yǔ
(f) 我哥哥想學漢語。

wǒ yé ye nǎi nai xiàn zài zhù zài shàng hǎi
(g) 我爺爺、奶奶現在住在上海。

shǐ yán de bà ba zài měi guó gōng zuò
(h) 史言的爸爸在美國工作。

8 | Form as many questions as you can. Write them out.

wáng dà lì
王大力

wú xiǎo míng
吳小明

hú yuè
胡月

lǐ ān
李安

chū shēng zài
出生在

xiǎng xué
想學

qù guo
去過

huì shuō
會説

zhù zài
住在

yǒu
有

jǐ zhǒng yǔ yán
幾種語言？

shén me yǔ yán
什麼語言？

shén me dì fang
什麼地方？

nǎr
哪兒？

jǐ ge dì di
幾個弟弟？

(1) _____

(2) _____

(3) _____

(4) _____

(5) _____

(6) _____

9   Translation.

(1) He has several Japanese friends.

(2) She can speak several languages.

(3) My grandparents are now living in Beijing.

(4) I want to learn German.

(5) My father has been to many countries in the world.

(6) What languages can you speak ?

(7) How many languages can she speak ?

(8) Where was he born ?

10   Answer the following questions.

(1) 你家有幾口人？有誰？

(2) 你是哪國人？

(3) 你出生在哪兒？

(4) 你們一家人現在住在哪兒？

(5) 你今年多大了？上幾年級？

(6) 你爸爸、媽媽都工作嗎？

(7) 你會說幾種語言？

(8) 你會說什麼語言？

(9) 你想學什麼語言？

(10) 你去過世界上什麼國家？

11   Put the following information into a paragraph.

— 馬小力

— 十二歲

— 出生在日本

— 住在香港

— 一家五口人：爸爸、媽媽、兩個哥哥和他

— 兩個哥哥都是大學生

— 爸爸和媽媽都工作

— 會說英語、法語、漢語

馬小力

12 Match the Chinese with the English.

yǔ fǎ
(1) 語法   (a) spoken language

kǒu yǔ
(2) 口語   (b) grammar

dà xī yáng
(3) 大西洋   (c) be born

shēng rì huì
(4) 生日會   (d) the whole world

chū shì
(5) 出世   (e) territory

quán shì jiè
(6) 全世界   (f) Southeast Asia

guó tǔ
(7) 國土   (g) the Atlantic (Ocean)

dōng nán yà
(8) 東南亞   (h) birthday party

xiǎng jiā
(9) 想家   (i) homesick

13 Translation.

(1) world _____

(2) now _____

(3) grandfather _____

(4) grandmother _____

(5) language _____

(6) can _____

(7) want; would like to _____

(8) several languages _____

(9) penpal _____

14 Reading comprehension.

wǒ jiào zhāng guó lì   wǒ shì zhōng xué shēng
我叫張國立。我是中學生。

wǒ jiā yǒu sān kǒu rén   bà ba   mā ma hé
我家有三口人：爸爸、媽媽和

wǒ   wǒ méi yǒu xiōng dì jiě mèi   wǒ men yì jiā
我。我没有兄弟姐妹。我們一家

rén zhù zài xiāng gǎng   wǒ qù guo shì jiè shang hǎo
人住在香港。我去過世界上好

jǐ ge guó jiā   yīng guó   fǎ guó   dé
幾個國家：英國、法國、德

guó   rì běn   měi guó hé jiā ná dà
國、日本、美國和加拿大。

wǒ huì shuō yīng yǔ   guǎng dōng huà hé
我會説英語、廣東話和

pǔ tōng huà
普通話。

Answer the questions.

zhāng guó lì shì zhōng xué shēng ma
(1) 張國立是中學生嗎？

tā jiā yǒu shuí
(2) 他家有誰？

tā men yì jiā rén xiàn zài zhù
(3) 他們一家人現在住
zài nǎr
在哪兒？

tā qù guo jǐ ge guó jiā
(4) 他去過幾個國家？

tā huì shuō shén me yǔ yán
(5) 他會説什麽語言？

15 Match the question with the answer.

nǐ bà ba   mā ma dōu gōng zuò ma
(1) 你爸爸、媽媽都工作嗎？

nǐ qù guo jiā ná dà ma
(2) 你去過加拿大嗎？

nǐ huì shuō guǎng dōng huà ma
(3) 你會説廣東話嗎？

nǐ yǒu méi yǒu xiōng dì jiě mèi
(4) 你有没有兄弟姐妹？

nǐ shì xiǎo xué shēng ma
(5) 你是小學生嗎？

nǐ xiàn zài zhù zài nǎr
(6) 你現在住在哪兒？

nǐ xiǎng xué dé yǔ ma
(7) 你想學德語嗎？

bú huì shuō
(a) 不會説。

tā men dōu gōng zuò
(b) 他們都工作。

yǒu
(c) 有。

shì
(d) 是。

wǒ zhù zài běi jīng
(e) 我住在北京。

xiǎng xué
(f) 想學。

méi yǒu qù guo
(g) 没有去過。

16 Interview two classmates. Prepare a file like the ones below for each classmate.

1

tā jiào wáng xiǎo wén   tā
她叫王小文。她

chū shēng zài rì běn   dàn shì tā
出生在日本，但是她

shì zhōng guó rén   tā jīn nián shí
是中國人。她今年十

èr suì   shàng bā nián jí   tā
二歲，上八年級。她

qù guo ōu zhōu   měi zhōu hé dà
去過歐洲、美洲和大

yáng zhōu   tā huì shuō yīng yǔ
洋洲。她會説英語、

rì yǔ hé hàn yǔ
日語和漢語。

3

4

2

tā jiào fāng míng   tā chū
他叫方明。他出

shēng zài měi guó   tā bà ba shì
生在美國。他爸爸是

zhōng guó rén   tā mā ma shì měi
中國人，他媽媽是美

guó rén   tā huì shuō hǎo jǐ zhǒng
國人。他會説好幾種

yǔ yán   tā xiǎng xué dé yǔ hé
語言。他想學德語和

rì yǔ
日語。

108

生字

		ノ 人 亽 仝 令 命 命 命 命 僉 會 會 會
huì can; meeting; party	會	
		′ ⺰ ⺀ ⺰ ⺰ 丝 丝 丝 丝 丝 幺 幺 幾 幾 幾
jǐ a few; several	幾	
		′ 二 千 千 禾 禾 秆 秆 秆 稻 稻 種 種 種
zhǒng type; race; seed	種	
		′ 八 少 父 父 谷 谷 爷 爷 爷 爷 爺 爺
yé grandfather	爺	
		⺰ ⺀ 女 奶 奶
nǎi milk; grandmother	奶	
		一 十 廿 世 世
shì lifetime; world	世	
		⺀ 口 曰 曲 田 罒 界 界 界
jiè boundary; scope	界	
		一 十 才 木 机 机 相 相 相 相 想 想 想
xiǎng think; want to; would like to	想	

生詞

第十一課　亞洲（yà zhōu）　加拿大（jiā ná dà）　美國（měi guó）　巴西（bā xī）　南美洲（nán měi zhōu）　北美洲（běi měi zhōu）　法國（fǎ guó）

德國（dé guó）　非洲（fēi zhōu）　歐洲（ōu zhōu）　南非（nán fēi）　馬來西亞（mǎ lái xī yà）　大洋洲（dà yáng zhōu）

澳大利亞（ào dà lì yà）　去過（qù guo）　很多（hěn duō）　國家（guó jiā）　可是（kě shì）

子（zǐ）　吳（wú）　弓（gōng）　張（zhāng）　古（gǔ）　胡（hú）

第十二課　筆友（bǐ yǒu）　地方（dì fang）　等（děng）　但是（dàn shì）　出生（chū shēng）　現在（xiàn zài）

女（nǚ）　力（lì）　男（nán）　門（mén）　問（wèn）　尖（jiān）

第十三課　說（shuō）　漢語（hàn yǔ）　英語（yīng yǔ）　日語（rì yǔ）　法語（fǎ yǔ）　德語（dé yǔ）　廣東話（guǎng dōng huà）

普通話（pǔ tōng huà）

老（lǎo）　少（shào）　親朋好友（qīn péng hǎo yǒu）

第十四課　會（huì）　好幾種（hǎo jǐ zhǒng）　語言（yǔ yán）　爺爺（yé ye）　奶奶（nǎi nai）　世界上（shì jiè shang）　想（xiǎng）

總複習

1. Continents and countries

(1) 亞洲 yà zhōu： 中國 zhōng guó　日本 rì běn　馬來西亞 mǎ lái xī yà

(2) 歐洲 ōu zhōu： 英國 yīng guó　法國 fǎ guó　德國 dé guó

(3) 北美洲 běi měi zhōu： 美國 měi guó　加拿大 jiā ná dà

(4) 大洋洲 dà yáng zhōu： 澳大利亞 ào dà lì yà

(5) 非洲 fēi zhōu： 南非 nán fēi

(6) 南美洲 nán měi zhōu： 巴西 bā xī

2. Languages and dialects

英語 yīng yǔ（英文 yīng wén）　漢語 hàn yǔ（中文 zhōng wén）　日語 rì yǔ（日文 rì wén）

法語 fǎ yǔ（法文 fǎ wén）　德語 dé yǔ（德文 dé wén）　普通話 pǔ tōng huà　廣東話 guǎng dōng huà

3. Verbs

| 去 qù | 來 lái | 去過 qù guo | 出生 chū shēng | 說 shuō | 想 xiǎng | 問 wèn | 會 huì |

4. Adjectives and adverbs

| 美 měi | 老 lǎo | 古 gǔ | 少 shào | 親 qīn | 尖 jiān | 現在 xiàn zài | 普通 pǔ tōng | 很多 hěn duō |

5. People

| 男人 nán rén | 女人 nǚ rén | 老人 lǎo rén | 爺爺 yé ye | 奶奶 nǎi nai | 筆友 bǐ yǒu |

6. Surnames

wú hú zhāng gǔ fāng
吳　胡　張　古　方

7. Grammar: "過" (guò)

(1) wǒ qù guo měi guó
我去過美國。

(2) tā lái guo xiāng gǎng
他來過香港。

(3) tā shuō guo tā shì shàng hǎi rén
他説過他是上海人。

(4) tā yǒu guo yí ge bǐ yǒu
他有過一個筆友。

(5) nǐ qù guo rì běn ma
你去過日本嗎？

(6) wǒ zài běi jīng zhù guo
我在北京住過。

(7) wǒ mā ma méi yǒu gōng zuò guo
我媽媽沒有工作過。

(8) tā xué guo fǎ yǔ
她學過法語。

(9) tā shàng guo dà xué
他上過大學。

(10) tā méi yǒu qù guo xī ān
他沒有去過西安。

8. Questions and answers

(1) zhōng guó zài nǎr
中國在哪兒？　
zhōng guó zài yà zhōu
中國在亞洲。

(2) nǐ qù guo nǎ ge guó jiā
你去過哪個國家？　
wǒ qù guo　rì běn
（我去過）日本。

(3) nǐ chū shēng zài nǎr
你出生在哪兒？　
wǒ chū shēng zài　běi jīng
（我出生在）北京。

(4) nǐ xiàn zài zhù zài nǎr
你現在住在哪兒？　
shàng hǎi
上海。

(5) nǐ jīn nián duō dà le
你今年多大了？　
shí èr suì
十二歲。

(6) nǐ huì shuō shén me yǔ yán
你會説什麼語言？　
yīng yǔ hé hàn yǔ
英語和漢語。

(7) nǐ yǒu yé ye　nǎi nai ma
你有爺爺、奶奶嗎？　
yǒu
有。

(8) nǐ qù guo fǎ guó ma
你去過法國嗎？　
méi　yǒu　qù guo
沒（有）去過。

112

測驗

1 Match the country with the continent.

(1) 南非   (a) 亞洲

(2) 馬來西亞   (b) 歐洲

(3) 加拿大   (c) 非洲

(4) 巴西   (d) 北美洲

(5) 澳大利亞   (e) 大洋洲

(6) 法國   (f) 南美洲

2 Translation.

(1) China   (7) come

(2) Chinese   (8) many

(3) England   (9) male

(4) America   (10) female

(5) go   (11) friend

(6) can   (12) student

3 Match the Chinese with the pinyin.

(1) 少   (a) jiān

(2) 古   (b) qīn

(3) 老   (c) gǔ

(4) 親   (d) shào

(5) 尖   (e) lǎo

(6) 長   (f) fāng

(7) 美   (g) cháng

(8) 方   (h) měi

4 Fill in the blanks with the words in the box.

| 哪兒   什麼   嗎 |

(1) 你出生在_____？

(2) 你會說_____語言？

(3) 你去過美國_____？

(4) 你有爺爺、奶奶_____？

(5) 你想學_____語言？

(6) 你去過_____地方？

5 Translation.

(1) 今天是我的生日。

(2) 我去年去過日本。

(3) 我今年想去馬來西亞。

(4) 我星期五不上學。

(5) 今天我爺爺、奶奶來我家。

(6) 我今年十一歲。

6 True or false?

( )(1) 中國是一個大國。

( )(2) 南非在亞洲。

( )(3) 澳大利亞人說英語。

( )(4) 廣東話是一種方言。

( )(5) 一年有十個月。

( )(6) 一個星期有七天。

7 Answer the following questions.

(1) 美國在哪兒?

(2) 南非是不是在非洲?

(3) 你去過法國嗎?

(4) 你出生在哪兒?

(5) 你有沒有筆友?

(6) 你會說什麼語言?

(7) 你想學什麼語言?

(8) 你去過什麼國家?

(9) 今天是幾月幾號? 星期幾?

8 Put the words / phrases into sentences.

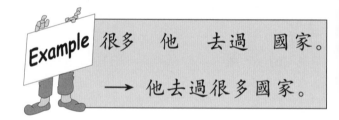
Example 很多 他 去過 國家。
→ 他去過很多國家。

(1) 我 在 出生 日本。
→

(2) 英語 美國人 說。
→

(3) 想 哥哥 法語 學。
→

(4) 嗎 會說 廣東話 你?
→

(5) 去過 南非 嗎 你?
→

9 Translation.

(1) China and Japan are both in Asia.

(2) U.S.A. is in North America.

(3) British people speak English.

(4) I want to go to France this year.

(5) I have an English penpal.

(6) I can speak English and Chinese.

(7) My grandparents live in Canada at the moment.

(8) I was born in Germany, but I am living in Beijing now.

10 Reading comprehension.

王海雲是中國人。她今年十歲，上小學五年級。她出生在北京，但是她現在住在英國。她爺爺、奶奶也住在英國。她去過世界上很多國家。她去過美國、加拿大、日本、馬來西亞等國家，可是她沒有去過非洲國家。她會説英語、法語和漢語。

Answer the questions.

(1) 王海雲今年多大了？

(2) 她出生在哪兒？

(3) 她現在住在哪兒？

(4) 她爺爺、奶奶住在中國嗎？

(5) 她去過加拿大嗎？

(6) 她會説什麼語言？

第四單元　工作

第十五課　她是醫生

1 Circle the correct pinyin.

(1) 醫生　　(a) yīshēn　　(b) yīshēng

(2) 大夫　　(a) dàfu　　(b) dàifu

(3) 銀行　　(a) yínghàng　　(b) yínháng

(4) 律師　　(a) lùshī　　(b) lùshī

(5) 護士　　(a) hùsi　　(b) hùshi

(6) 商人　　(a) shāngrén　　(b) shānrén

(7) 老師　　(a) lǎoshī　　(b) lǎosī

2 Give the meanings of the following radicals.

(1) 門　door

(2) 弓 ____

(3) 欠 ____

(4) 立 ____

(5) 夕 ____

(6) 方 ____

(7) 舟 ____

(8) 冂 ____

(9) 忄 ____

(10) 雨 ____

(11) 刂 ____

(12) 羊 ____

3 Find phrases in the scarf. Write them out.

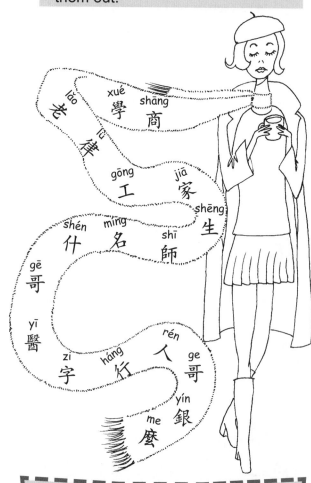

(1) ___工人___　　(6) _____

(2) _____　　(7) _____

(3) _____　　(8) _____

(4) _____　　(9) _____

(5) _____　　(10) _____

116

4 Group the characters according to their radicals.

(1) 亻 行 ___ ___

(5) 言 ___ ___

(2) 女 ___ ___ ___

(6) 亻 ___

(3) 金 ___ ___

(7) 木 ___ ___

(4) 氵 ___ ___ ___

(8) 广 ___

háng	cuò	lù	xiè
行	錯	律	謝
shuō	fù	mā	hěn
說	婦	媽	很
gǎng	jī	tíng	nǐ
港	機	庭	你
nǎi	zhōu	yín	hǎi
奶	洲	銀	海

5 Translation.

tā shì wǒ mèi mei de péng you
(1) 她是我妹妹的朋友。

wǒ gē ge de hǎo péng you shì dà xué
(2) 我哥哥的好朋友是大學
shēng
生。

tā shì wǒ mā ma de jiě jie
(3) 她是我媽媽的姐姐。

tā shì bà ba de dì di de lǎo shī
(4) 他是爸爸的弟弟的老師。

tā shì wǒ péng you de lǜ shī
(5) 他是我朋友的律師。

tā shì wǒ nǎi nai de jiā tíng yī shēng
(6) 她是我奶奶的家庭醫生。

wǒ hàn yǔ lǎo shī de gē ge shì yín háng
(7) 我漢語老師的哥哥是銀行
jiā
家。

xiǎo yún de bà ba shì dī shì sī jī
(8) 小雲的爸爸是的士司機。

tiān xīng de mā ma shì jiā tíng zhǔ fù
(9) 天星的媽媽是家庭主婦。

wén jiā de mā ma shì hù shì
(10) 文家的媽媽是護士。

6 Write the pinyin for the following phrases.

(1) 律師 _____

(2) 銀行家 _____

(3) 老師 _____

(4) 商人 _____

(5) 工人 _____

(6) 大夫 _____

(7) 家庭主婦 _____

(8) 護士 _____

(9) 司機 _____

(10) 學生 _____

(11) 醫生 _____

117

Use "也" to finish the following dialogues.

(1) A: wǒ bà ba shì lǜ shī
我爸爸是律師。

B: 她爸爸也是律師 。

(2) A: wǒ mā ma shì yín háng jiā
我媽媽是銀行家。

B: _____ 。

(3) A: wǒ shì zhōng xué shēng
我是中學生。

B: _____ 。

(4) A: wǒ gē ge shì dà xué shēng
我哥哥是大學生。

B: _____ 。

(5) A: wǒ nǎi nai shì jiā tíng zhǔ fù
我奶奶是家庭主婦。

B: _____ 。

(6) A: wǒ yé ye shì dài fu
我爺爺是大夫。

B: _____ 。

(7) A: tā gē ge shì sī jī
他哥哥是司機。

B: _____ 。

(8) A: wáng yuè de jiě jie shì yín háng jiā
王月的姐姐是銀行家。

B: _____ 。

Prepare a personal file for your friend.

1. 他／她姓 tā tā xìng _____ 。

2. 他／她叫 tā tā jiào _____ 。

3. 他／她今年 tā tā jīn nián _____ 歲 suì ,

上 _____ 年級 shàng nián jí 。

4. 他／她出生在 tā tā chū shēng zài _____ 。

5. 他／她去過 tā tā qù guo _____

_____

6. 他／她會說 tā tā huì shuō _____ 。

他／她想學 tā tā xiǎng xué _____ 。

7. 他／她爸爸 tā tā bà ba _____ (work)。

他／她媽媽 tā tā mā ma _____ (work)。

8. 他／她們一家人現在住在 tā tā men yì jiā rén xiàn zài zhù zài

_____ 。

118

9 Match the question with the answer.

nǐ jiào shén me míng zi
(1) 你叫什麼名字？

nǐ shì nǎ guó rén
(2) 你是哪國人？

nǐ jīn nián duō dà le
(3) 你今年多大了？

nǐ zhù zài nǎr
(4) 你住在哪兒？

nǐ yǒu xiōng dì jiě mèi ma
(5) 你有兄弟姐妹嗎？

nǐ jiā yǒu jǐ kǒu rén
(6) 你家有幾口人？

nǐ shàng jǐ nián jí
(7) 你上幾年級？

nǐ bà ba shì lǜ shī ma
(8) 你爸爸是律師嗎？

jīn tiān shì jǐ yuè jǐ hào
(9) 今天是幾月幾號？

jīn tiān xīng qī jǐ
(10) 今天星期幾？

jīn nián shì nǎ nián
(11) 今年是哪年？

wǒ jīn nián shí wǔ suì
(a) 我今年十五歲。

wǒ jiào wáng yuè
(b) 我叫王月。

wǒ zhù zài běi jīng
(c) 我住在北京。

wǒ shàng shí yī nián jí
(d) 我上十一年級。

wǒ shì zhōng guó rén
(e) 我是中國人。

wǒ bà ba bú shì lǜ shī
(f) 我爸爸不是律師。

jīn nián shì èr líng líng yī nián
(g) 今年是二〇〇一年。

jīn tiān shì shí yī yuè jiǔ hào
(h) 今天是十一月九號。

wǒ jiā yǒu wǔ kǒu rén
(i) 我家有五口人。

wǒ yǒu xiōng dì jiě mèi
(j) 我有兄弟姐妹。

jīn tiān xīng qī wǔ
(k) 今天星期五。

10 Find the missing words.

lǎo
(1) 老＿＿＿＿＿

yī
(2) 醫＿＿＿＿＿

jiā tíng
(3) 家庭＿＿＿＿

lǜ
(4) 律＿＿＿＿＿

sī
(5) 司＿＿＿＿＿

bǐ
(6) 筆＿＿＿＿＿

shāng
(7) 商＿＿＿＿＿

dài
(8) 大＿＿＿＿＿

gōng
(9) 工＿＿＿＿＿

yín háng
(10) 銀行＿＿＿＿

hù
(11) 護＿＿＿＿＿

yǒu
友

jī   fū   rén   jiā
機   夫   人   家

shēng   shì   zhǔ fù   shī
生   士   主婦   師

11 Write a sentence for each picture.

(1) lǎo shī 老師，45 歲 sùi

她是老師，
今年四十五歲。

(2) sī jī 司機，30 歲 sùi

(3) jiā tíng zhǔ fù 家庭主婦，35 歲 sùi

(4) yín háng jiā 銀行家，38 歲 sùi

(5) hù shì 護士，24 歲 sùi

(6) yī shēng 醫生，55 歲 sùi

(7) gōng rén 工人，22 歲 sùi

(8) shāng rén 商人，34 歲 sùi

12 Translation.

(1) Is he a lawyer ?

(2) My grandpa is a banker.

(3) His mother is a housewife.

(4) The doctor's younger sister is a nurse.

(5) Both his parents are English teachers.

(6) She can speak several languages.

(7) I have been to many countries.

(8) My father wants to learn Chinese.

13 Reading comprehension. Then write a paragraph about yourself.

wǒ jiào hǎi yīng　wǒ jīn nián shí èr suì　shàng bā nián jí　wǒ jiā yǒu sì kǒu rén　bà ba
我叫海英。我今年十二歲,上八年級。我家有四口人: 爸爸、

mā ma　　dì di hé wǒ　　wǒ dì di jīn nián liù suì　shàng xiǎo xué yì nián jí　wǒ dì di chū
媽媽、弟弟和我。我弟弟今年六歲, 上小學一年級。我弟弟出

shēng zài fǎ guó　　wǒ chū shēng zài yīng guó　　wǒ qù guo shì jiè shang hěn duō dì fang　wǒ huì shuō
生在法國, 我出生在英國。我去過世界上很多地方。我會說

yīng yǔ　　fǎ yǔ hé hàn yǔ　　wǒ bà ba　　mā ma dōu gōng zuò　　wǒ bà ba shì lù shī　　wǒ
英語、法語和漢語。我爸爸、媽媽都工作。我爸爸是律師, 我

mā ma shì yīng yǔ lǎo shī　　wǒ men yì jiā rén xiàn zài zhù zài yīng guó
媽媽是英語老師。我們一家人現在住在英國。

Answer the questions.

hǎi yīng jīn nián shàng jǐ nián jí
(1) 海英今年上幾年級？

tā huì shuō shén me yǔ yán
(5) 她會說什麼語言？

tā shì zhōng xué shēng ma
(2) 她是中學生嗎？

tā bà ba gōng zuò ma
(6) 她爸爸工作嗎？

tā chū shēng zài nǎr
(3) 她出生在哪兒？

tā mā ma gōng zuò ma
(7) 她媽媽工作嗎？

tā yǒu méi yǒu xiōng dì jiě mèi
(4) 她有沒有兄弟姐妹？

tā men yì jiā rén xiàn zài zhù zài nǎr
(8) 她們一家人現在住在哪兒？

14 True or false?

zhōng guó dà　　lì shǐ cháng
( )(1) 中國大, 歷史長。

zhōng guó rén shuō fǎ yǔ
( )(2) 中國人說法語。

yīng guó zài fēi zhōu
( )(3) 英國在非洲。

dōng jīng zài rì běn
( )(4) 東京在日本。

yé ye shì bà ba de bà ba
( )(5) 爺爺是爸爸的爸爸。

15 Correct the mistakes.

xiǎng
(1) 想 _____

sī
(6) 司 _____

shī
(2) 师 _____

jī
(7) 机 _____

tíng
(3) 庭 _____

yī
(8) 医 _____

shāng
(4) 商 _____

yǔ
(9) 语 _____

háng
(5) 行 _____

nǎi
(10) 奶 _____

生 字

		一 厂 丆 丆 丅 至 医 医 医 殹 殹 殹 殹 殹 殹 殹 醫 醫
yī medicine	醫	
		' 亻 亻 亻 白 白 白 亽 師 師
shī teacher; master	師	
		' 亠 广 广 庐 庄 庭 庭 庭
tíng front; courtyard	庭	
		' 亠 二 主 主
zhǔ major	主	
		ㄑ 女 女 妇 妇 妇 妇 婦 婦 婦 婦
fù woman	婦	
		' 亠 亠 亠 广 产 产 商 商 商
shāng businessman	商	
		' 彳 彳 彳 彳 彳 律 律 律
lù law; rule	律	
		ノ 人 午 车 车 车 余 金 釒 釒 釘 鈤 銀 銀
yín silver	銀	
		' 彳 彳 彳 彳 行 行
háng profession; business firm	行	
		一 二 夫 夫
fū husband; man	夫	
		' 亠 亠 言 言 言 言 訂 訐 訐 訐 詳 詳 謹 謹 護 護
hù protect	護	

生 字

	一 十 士									
shì scholar	士									
	丁 丆 刁 司 司 司									
sī take charge of	司									
	一 十 才 木 木 术 杉 栏 栏 樧 樧 樧 榺 橃 機 機 機									
jī machine; engine	機									

識字（七）

		ˊ ˊ ˊ ˊ ˊ ˊ 長 長 長								
zhǎng grow; senior; eldest	長									
		ˋ ˋ ˋ ˋ ˋ								
kǎ card	卡									
		ˊ ˊ ˊ ˊ 自 自								
zì self; oneself	自									
		ˊ ˊ 己								
jǐ oneself	己									
		ˊ ˊ ˊ ˊ 書 書 書 書 書 書 畫								
huà draw; paint	畫									

1 Match the Chinese with the English.

wǒ zhǎng dà le
(1) 我 長 大 了!

(a) She has gone to Japan.

tā lái le
(2) 他 來 了!

(b) Little brother has gone to school.

tā qù rì běn le
(3) 她 去 日 本 了!

(c) I have grown up.

dì di shàng xué le
(4) 弟 弟 上 學 了!

(d) She cannot draw.

tā bú huì huà huàr
(5) 她 不 會 畫 畫 兒。

(e) Her grandfather is a painter.

tā yé ye shì huà jiā
(6) 她 爺 爺 是 畫 家。

(f) He has come.

2 Give the meanings of the following phrases.

huà huàr
畫 畫 兒

huà jiā
畫 家

huà
① 畫

zhōng guó huà
中 國 畫

shān shuǐ huà
山 水 畫

shēng shuǐ
生 水

shēng ri
生 日

shēng zhǎng
生 長

shēng
② 生

shēng zì
生 字

xué sheng
學 生

chū shēng
出 生

zì jǐ
自 己

zì
③ 自

zì xué
自 學

zì lái shuǐ
自 來 水

jiā zhǎng
家 長

zhǎng
④ 長

xiōng zhǎng
兄 長

zhǎng zǐ
長 子

3 Give the meanings of each word.

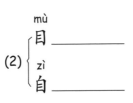

tián
田 _____

nán
(1) 男 _____

huà
畫 _____

mù
目 _____

(2) zì
自 _____

kǎ
卡 _____

(3) zhǎng
長 _____

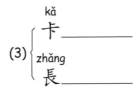

suì
歲 _____

duō
多 _____

(4) míng
名 _____

第十六課　他做什麼工作

1　Find the phrase to match the pinyin.

(1) lǎoshī _____

(2) lǜshī _____

(3) fúwùyuán _____

(4) jiātíng zhǔfù _____

(5) sījī _____

(6) hùshi _____

(7) yínhángjiā _____

(8) jīnglǐ _____

(9) mìshū _____

(10) gōngchéngshī _____

(a) 秘書

(b) 家庭主婦

(c) 老師

(d) 服務員

(e) 銀行家

(f) 律師

(g) 護士

(h) 工程師

(i) 司機

(j) 經理

2　Find the phrases. Write them out.

大	中	國	家	庭
小	學	工	人	口
姐	生	作	上	海
妹	英	文	學	港
日	語	漢	喜	歡

(1) _____

(2) _____

(3) _____

(4) _____

(5) _____

(6) _____

(7) _____

(8) _____

(9) _____

(10) _____

3 Form as many sentences as you can. Write them out.

wáng péng
王 朋

shǐ lì
史 力

wáng tiān lì
王 天 力

mǎ xiǎo yún
馬 小 雲

gǔ yuè
古 月

lǐ xiǎo tián
李 小 田

chū shēng zài
出 生 在

zhù zài
住 在

qù guo
去 過

huì shuō
會 說

xiǎng xué
想 學

xǐ huan
喜 歡

yǒu
有

rì yǔ   yīng yǔ hé hàn yǔ
日 語、英 語 和 漢 語。

dé guó   fǎ guó   měi guó děng guó jiā
德 國、法 國、美 國 等 國 家。

xiāng gǎng
香 港。

pǔ tōng huà
普 通 話。

ào dà lì yà
澳 大 利 亞。

tā de gōng zuò
他 的 工 作。

hǎo jǐ ge bǐ yǒu
好 幾 個 筆 友。

(1) _____

(2) _____

(3) _____

(4) _____

(5) _____

(6) _____

4 Write the pinyin for the following phrases.

(1) 經理 _____

(2) 工程師 _____

(3) 律師 _____

(4) 服務員 _____

(5) 秘書 _____

(6) 家庭主婦 _____

(7) 司機 _____

(8) 護士 _____

(9) 醫生 _____

(10) 工人 _____

(11) 大夫 _____

(12) 學生 _____

(13) 筆友 _____

(14) 朋友 _____

(15) 爺爺 _____

5 Put the words / phrases into sentences.

Example

    sī jī   tā bà ba   shì
    司機   他爸爸 是。 → 他爸爸是司機。

   bù xǐ huan   wǒ mā ma   tā de gōng zuò
(1) 不喜歡 我媽媽 她的工作。 →

   xiàn zài   zhù zài   wǒ gē ge   dōng jīng
(2) 現在 住在 我哥哥 東京。 →

   qù guo   wǒ yé ye   hěn duō dì fang   shì jiè shang
(3) 去過 我爺爺 很多地方 世界上。 →

   xiǎo míng   yǔ yán   huì shuō   hǎo jǐ zhǒng
(4) 小明 語言 會説 好幾種。 →

   wáng lì   yīng yǔ   bú huì shuō
(5) 王力 英語 不會説。 →

   chū shēng zài   wǒ de rì yǔ lǎo shī   fǎ guó
(6) 出生在 我的日語老師 法國。 →

   shàng   jiǔ nián jí   jīn nián   wáng yún de mèi mei
(7) 上 九年級 今年 王雲的妹妹。 →

   shì   tā péng you   dà xué shēng
(8) 是 他朋友 大學生。 →

6 Match the Chinese with the English.

   hù shi xiǎo jie tiān tiān hù lǐ wǒ yé ye
(1) 護士小姐天天護理我爺爺。

   lǐ yī shēng shì wǒ de jiā tíng yī shēng
(2) 李醫生是我的家庭醫生。

   tā shì shì jiè yǒu míng de shū fǎ jiā
(3) 他是世界有名的書法家。

   èr líng líng èr nián shì mǎ nián
(4) 二〇〇二年是馬年。

   tā bà ba shì hǎi yuán   tā míng tiān chū hǎi
(5) 他爸爸是海員。他明天出海。

   nǎi nai shì běi fāng rén
(6) 奶奶是北方人。

(a) Year 2002 was the year of the Horse.

(b) He is a world famous calligrapher.

(c) Dr. Li is my family doctor.

(d) The nurse takes care of my grandpa everyday.

(e) Grandma is a Northerner.

(f) His father is a sailor. He is going to the sea tomorrow.

7 Fill in the blanks with the words in the box. Each word can only be used once.

xiǎng xué	xiàn zài	hěn duō	xìng	qù guo
(a) 想學	(b) 現在	(c) 很多	(d) 姓	(e) 去過
xǐ huan	dì fang	jīn nián	yǒu	yǔ yán
(f) 喜歡	(g) 地方	(h) 今年	(i) 有	(j) 語言

1

wǒ＿＿zhāng，jiào zhāng míng
我＿＿張，叫張明。

wǒ huì shuō hǎo jǐ zhǒng＿＿ wǒ
我會説好幾種＿＿。我

chū shēng zài nán fēi，dàn shì wǒ shì
出生在南非，但是我是

yīng guó rén
英國人。

2

wǒ shì yín háng jiā。wǒ＿＿
我是銀行家。我＿＿

wǒ de gōng zuò。wǒ＿＿yí ge ér
我的工作。我＿＿一個兒

zi hé liǎng ge nǚ ér。wǒ de ér zi
子和兩個女兒。我的兒子

shì zhōng xué shēng，wǒ de liǎng ge nǚ ér
是中學生，我的兩個女兒

shì dà xué shēng。wǒ＿＿shàng hǎi
是大學生。我＿＿上海。

3

wǒ shì fǎ guó rén
我是法國人。

wǒ＿＿liù shí bā suì le
我＿＿六十八歲了。

wǒ bù gōng zuò。wǒ qù guo shì jiè shang
我不工作。我去過世界上

hěn duō＿＿。wǒ huì shuō wǔ zhǒng yǔ
很多＿＿。我會説五種語

yán。wǒ＿＿hàn yǔ
言。我＿＿漢語。

4

wǒ shì lǜ shī。wǒ shì měi guó
我是律師。我是美國

rén。wǒ＿＿zhù zài běi jīng
人。我＿＿住在北京。

wǒ yǒu＿＿zhōng guó péng you
我有＿＿中國朋友。

8 Answer the following questions.

nǐ zài nǎr chū shēng
(1) 你在哪兒出生？

nǐ de shēng ri shì jǐ yuè jǐ hào
(2) 你的生日是幾月幾號？

nǐ jīn nián duō dà le
(3) 你今年多大了？

nǐ shàng jǐ nián jí
(4) 你上幾年級？

nǐ bà ba shì gōng chéng shī ma
(5) 你爸爸是工程師嗎？

nǐ xiǎng zuò lù shī ma
(6) 你想做律師嗎？

9 Fill in the blanks with the words in the box.

shén me	ma	nǎr
什麼	嗎	哪兒
jǐ	nǎ	shuí
幾	哪	誰

nǐ bà ba zuò gōng zuò
(1) 你爸爸做＿＿＿工作？

nǐ mā ma yě gōng zuò
(2) 你媽媽也工作＿＿＿？

tā dì di jīn nián suì le
(3) 他弟弟今年＿＿＿歲了？

tā shì guó rén
(4) 她是＿＿＿國人？

wáng lǎo shī chū shēng zài
(5) 王老師出生在＿＿＿？

lǐ lì yǒu ge xiōng dì jiě mèi
(6) 李力有＿＿＿個兄弟姐妹？

tā jiā yǒu
(7) 他家有＿＿＿？

10 Fill in the blanks with characters.

tā men shì wǒ de hǎo péng you tā men dōu shì
他們是我的好朋＿＿。他們都是

dà xué shēng tā men dōu shì rì běn rén tā men
大＿＿生。他們都是日＿＿人。他們

huì shuō yīng yǔ dàn shì tā men bú huì shuō hàn yǔ
會說英語，但是他們不＿＿說漢語。

tā men xiǎng xué hàn yǔ dàn shì tā men méi yǒu lǎo
他們想＿＿漢語，＿＿是他們沒有老

shī tā men xiàn zài zhù zài xiāng gǎng
師。他們現在住＿＿香港。

生字

		ノ イ 仁 什 件 估 估 做 做 做
zuò make; do	做	
		) 刀 月 月 肌 肌 那 服
fú clothes; serve	服	
		⁊ マ ヌ 予 矛 矛 矜 矜 務 務
wù affair; business	務	
		、 口 口 尸 月 月 月 冒 員 員
yuán member	員	
		一 十 士 吉 吉 吉 吉 壴 壴 喜 喜 喜
xǐ happy; like	喜	
		一 艹 艹 芍 芍 苷 苷 茹 茹 茹 茹 萉 萉 萉 藋 藋 藋 歡 歡 歡
huān merry	歡	
		丶 二 千 千 禾 禾 秒 秒 秘 秘
mì secret	秘	
		⁊ ⁊ ヨ ヨ 圭 圭 書 書 書 書
shū book; write; script	書	
		乚 幺 幺 纟 纟 糸 糸 紅 紅 經 經 經 經 經
jīng manage	經	
		一 二 千 王 玛 玛 玾 玾 珇 珇 理 理
lǐ manage; natural science	理	
		丶 二 千 千 禾 禾 秒 秒 和 秬 秬 程 程 程
chéng rule; order	程	

識字（八）

		丨	门	冃	月	目							
mù eye	目												
		一	丶	口	口	㕥	豆	豆	豇	豇	頭	頭	頭 頭 頭
tóu head	頭												
		丶	丨	口	口	무	무	무	足				
zú foot	足												
		丶	亻	卢	卢	自	烏	烏	烏	烏	烏		
wū black; dark	烏												
		一	丅	丆	巨	巨	镸	镸	髟	髟	髟 髮 髮 髮 髮		
fà hair	髮												
		丶	亻	白	白	白							
bái white	白												
		一	二	于	牙								
yá tooth	牙												
		丨	小	业	坐	光	光						
guāng light; smooth	光												

1 Match the words with the pictures.

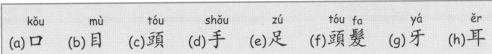

kǒu	mù	tóu	shǒu	zú	tóu fa	yá	ěr
(a)口	(b)目	(c)頭	(d)手	(e)足	(f)頭髮	(g)牙	(h)耳

1

2

3

4

5

6

7

8

2 Give the meanings of the following phrases.

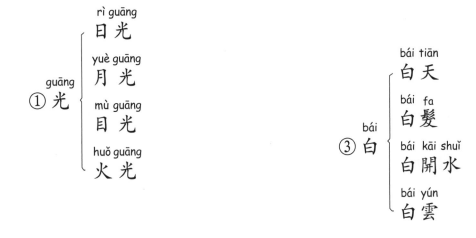

guāng
① 光

rì guāng
日光

yuè guāng
月光

mù guāng
目光

huǒ guāng
火光

tóu
② 頭

mù tou
木頭

tóu fa
頭髮

tóu děng
頭等

bái
③ 白

bái tiān
白天

bái fa
白髮

bái kāi shuǐ
白開水

bái yún
白雲

mù
④ 目

mù di
目的

mù dì dì
目的地

第十七課　她在一家日本公司工作

1 Match the words in column A with the ones in column B.

Ⓐ

(1) yī shēng　dài fu
醫生／大夫

(2) hàn yǔ lǎo shī
漢語老師

(3) jīng lǐ
經理

(4) lǜ shī
律師

(5) shāng rén
商人

(6) yín háng jiā
銀行家

(7) fú wù yuán
服務員

(8) hù shi
護士

(9) gōng rén
工人

Ⓑ

(a) lǜ shī háng
律師行

(b) yī yuàn
醫院

(c) xué xiào
學校

(d) jiǔ diàn
酒店

(e) gōng sī
公司

(f) yín háng
銀行

(g) gōng chǎng
工廠

(h) shū diàn
書店

2 Fill in the blanks with the words in the box.

yī shēng	lǜ shī	lǎo shī	jīng lǐ
醫生	律師	老師	經理
gōng chéng shī	yín háng jiā	fú wù yuán	
工程師	銀行家	服務員	

(1) ＿＿＿＿＿ zài xué xiào gōng zuò
在學校工作。

(2) ＿＿＿＿＿ zài yī yuàn gōng zuò
在醫院工作。

(3) ＿＿＿＿＿ zài gōng chǎng gōng zuò
在工廠工作。

(4) ＿＿＿＿＿ zài gōng sī gōng zuò
在公司工作。

(5) ＿＿＿＿＿ zài lǜ shī háng gōng zuò
在律師行工作。

(6) ＿＿＿＿＿ zài fàn diàn gōng zuò
在飯店工作。

(7) ＿＿＿＿＿ zài yín háng gōng zuò
在銀行工作。

3 Write the pinyin for the following phrases.

(1) 家庭主婦　　(6) 公司

(2) 律師行　　(7) 學校

(3) 服務員　　(8) 酒店

(4) 銀行　　(9) 工廠

(5) 學生　　(10) 商人

4 Answer the following questions.

(1) nǐ chū shēng zài nǎr
你出生在哪兒？

nǎr
哪兒？

(2) nǐ qù guo nǎr
你去過哪兒？

(3) nǐ bà ba zài nǎr gōng zuò
你爸爸在哪兒工作？

(4) nǐ mā ma zài nǎr gōng zuò
你媽媽在哪兒工作？

(5) nǐ men yì jiā rén zhù zài nǎr
你們一家人住在哪兒？

5 Circle the correct pinyin.

(1) 丈夫　(a) zhàngfu　(b) zàngfu

(2) 女兒　(a) nǚ'ér　(b) nǔ'ér

(3) 兒子　(a) érzhi　(b) érzi

(4) 先生　(a) xiānshen　(b) xiānsheng

(5) 女士　(a) nǔshì　(b) nǔsì

(6) 太太　(a) tèitei　(b) tàitai

(7) 公司　(a) gōngsī　(b) gōngshī

(8) 一點兒　(a) yìdiǎnr　(b) yìdiǎner

6 Categorize the following words into two groups.

yé ye 爺爺	mā ma 媽媽	nǎi nai 奶奶	mèi mei 妹妹
gē ge 哥哥	dì di 弟弟	nǚ shì 女士	xiǎo jie 小姐
xiān sheng 先生	tài tai 太太	jiě jie 姐姐	zhàng fu 丈夫
nǚ ér 女兒	ér zi 兒子		

nán 男

nǚ 女

爺爺、 _____

媽媽、 _____

_____

_____

_____

_____

7 Ask a question for each answer.

(1) A: _____

B: 我叫李文。 (wǒ jiào lǐ wén)

(2) A: _____?

B: 我出生在美國。 (wǒ chū shēng zài měi guó)

(3) A: _____?

B: 我今年十五歲。 (wǒ jīn nián shí wǔ suì)

(4) A: _____?

B: 我今年上十年級。 (wǒ jīn nián shàng shí nián jí)

(5) A: _____?

B: 我是中國人。 (wǒ shì zhōng guó rén)

(6) A: _____?

B: 我家有四口人。 (wǒ jiā yǒu sì kǒu rén)

(7) A: _____?

B: 我爸爸是老師。 (wǒ bà ba shì lǎo shī)

(8) A: _____?

B: 我媽媽不工作。 (wǒ mā ma bù gōng zuò)

8 Form as many sentences as you can. Write them out.

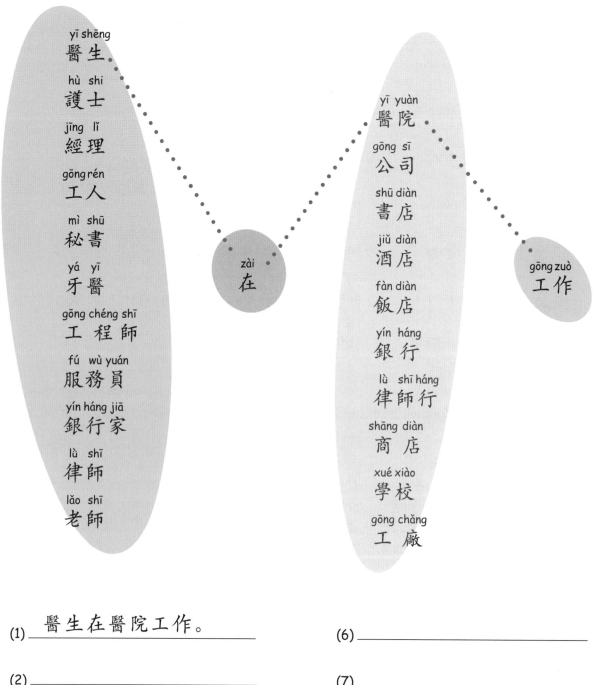

(1) 醫生在醫院工作。

(2) _____

(3) _____

(4) _____

(5) _____

(6) _____

(7) _____

(8) _____

(9) _____

(10) _____

(11) _____

9 Give the meanings of the following phrases.

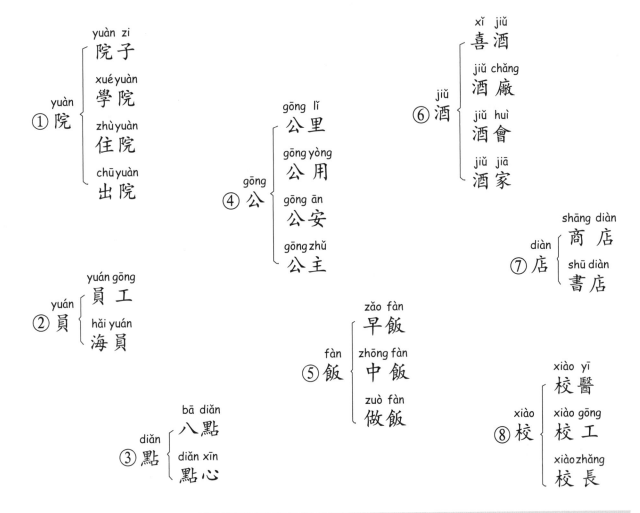

① yuàn 院
- yuàn zi 院子
- xué yuàn 學院
- zhù yuàn 住院
- chū yuàn 出院

② yuán 員
- yuán gōng 員工
- hǎi yuán 海員

③ diǎn 點
- bā diǎn 八點
- diǎn xīn 點心

④ gōng 公
- gōng lǐ 公里
- gōng yòng 公用
- gōng ān 公安
- gōng zhǔ 公主

⑤ fàn 飯
- zǎo fàn 早飯
- zhōng fàn 中飯
- zuò fàn 做飯

⑥ jiǔ 酒
- xǐ jiǔ 喜酒
- jiǔ chǎng 酒廠
- jiǔ huì 酒會
- jiǔ jiā 酒家

⑦ diàn 店
- shāng diàn 商店
- shū diàn 書店

⑧ xiào 校
- xiào yī 校醫
- xiào gōng 校工
- xiào zhǎng 校長

10 Match the Chinese with the English.

wǒ xué guo dé wén
(1) 我學過德文。

mǎ xiǎo jie bú zài jiā
(2) 馬小姐不在家。

wǒ men shì liǎng xiōng mèi
(3) 我們是兩兄妹。

zhōng guó shì yí ge dà guó
(4) 中國是一個大國。

wǒ gē ge dà wǒ wǔ suì
(5) 我哥哥大我五歲。

xiǎo wáng mǎ shàng lái
(6) 小王馬上來。

tā shì yí ge yǒu míng de zuò jiā
(7) 她是一個有名的作家。

tián yún yǒu hǎo duō péng you
(8) 田雲有好多朋友。

(a) Miss Ma is not at home.

(b) China is a big country.

(c) Xiao Wang will come immediately.

(d) She is a famous writer.

(e) I have studied German before.

(f) Tian Yun has quite a few friends.

(g) We are brother and sister.

(h) My elder brother is five years older than me.

137

11 Fill in the blanks with the measure words in the box.

gè	kǒu	jiā
個	口	家

(1) 李明家有八＿＿人。
lǐ míng jiā yǒu bā ＿＿ rén

(2) 王先生在一＿＿美國公司工作。
wáng xiān sheng zài yì ＿＿ měi guó gōng sī gōng zuò

(3) 馬老師的兒子在一＿＿酒店工作。
mǎ lǎo shī de ér zi zài yì ＿＿ jiǔ diàn gōng zuò

(4) 王月有一＿＿弟弟，兩＿＿妹妹。
wáng yuè yǒu yí ＿＿ dì di, liǎng ＿＿ mèi mei

(5) 李奶奶有兩＿＿兒子，三＿＿女兒。
lǐ nǎi nai yǒu liǎng ＿＿ ér zi, sān ＿＿ nǚ ér

(6) 田力有兩＿＿好朋友。
tián lì yǒu liǎng ＿＿ hǎo péng you

(7) 史雲在一＿＿銀行工作。
shǐ yún zài yì ＿＿ yín háng gōng zuò

12 Match the Chinese with the English.

(1) 美人　měi rén — (a) headmaster

(2) 學士　xué shì — (b) beauty

(3) 校長　xiào zhǎng — (c) institute; college

(4) 過去　guò qù — (d) bachelor

(5) 學院　xué yuán — (e) dark clouds

(6) 美好　měi hǎo — (f) in the past

(7) 子女　zǐ nǚ — (g) dentist

(8) 烏雲　wū yún — (h) children

(9) 牙醫　yá yī — (i) fine; happy

(10) 女工　nǚ gōng — (j) female worker

13 Group the characters according to their radicals.

(1) 广 ＿＿＿＿ ＿＿＿＿

(2) 禾 ＿＿＿＿ ＿＿＿＿

(3) 阝 ＿＿＿＿ ＿＿＿＿

(4) 王 ＿＿＿＿ ＿＿＿＿

(5) 金 ＿＿＿＿ ＿＿＿＿

(6) 糹 ＿＿＿＿ ＿＿＿＿

tíng	xiàn	cuò	jīng
庭	現	錯	經
yuàn	chéng	jí	yín
院	程	級	銀
diàn	nà	mì	lǐ
店	那	秘	理

14 Reading comprehension.

wǒ jiào zhāng guāng míng　　wǒ shì yá yī　　zài
我 叫 張 光 明。我 是 牙 醫，在

yì jiā yīng guó yī yuàn gōng zuò　　wǒ jiā yǒu sān kǒu rén
一 家 英 國 醫 院 工 作。我 家 有 三 口 人:

wǒ　　wǒ tài tai hé wǒ ér zi　　wǒ tài tai bù gōng
我、我 太 太 和 我 兒 子。我 太 太 不 工

zuò　　tā shì jiā tíng zhǔ fù　　wǒ ér zi jīn nián shí sān
作，她 是 家 庭 主 婦。我 兒 子 今 年 十 三

suì　　shàng zhōng xué èr nián jí　　wǒ men qù guo shì
歲，上 中 學 二 年 級。我 們 去 過 世

jiè shang hěn duō dì fang　　wǒ men qù guo ōu zhōu　　měi
界 上 很 多 地 方。我 們 去 過 歐 洲、美

zhōu　　yà zhōu hé dà yáng zhōu　　dàn shì méi yǒu qù guo
洲、亞 洲 和 大 洋 洲，但 是 沒 有 去 過

fēi zhōu　　wǒ ér zi huì shuō hǎo jǐ zhǒng yǔ yán　　tā
非 洲。我 兒 子 會 說 好 幾 種 語 言。他

huì shuō yīng yǔ　　fǎ yǔ　　hàn yǔ hé yì diǎnr　　rì
會 說 英 語、法 語、漢 語 和 一 點 兒 日

yǔ　　tā xiǎng qù měi guó shàng dà xué　　tā xiǎng xué
語。他 想 去 美 國 上 大 學。他 想 學

fǎ lǜ　　tā xiǎng zuò lǜ shī
法 律。他 想 做 律 師。

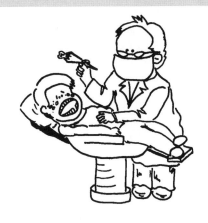

True or false?

zhāng guāng míng shì yī shēng
(　)(1) 張 光 明 是 醫 生。

zhāng tài tai yě zài yī yuàn
(　)(2) 張 太 太 也 在 醫 院
gōng zuò
工 作。

zhāng guāng míng de ér zi
(　)(3) 張 光 明 的 兒 子
qù guo fēi zhōu
去 過 非 洲。

zhāng guāng míng de ér zi xiǎng
(　)(4) 張 光 明 的 兒 子 想
qù zhōng guó shàng dà xué
去 中 國 上 大 學。

15 Put punctuations where necessary.

wǒ jiào wáng xiǎo míng jīn nián shí èr
我 叫 王 小 明 今 年 十 二

suì wǒ jiā yǒu bà ba mā ma jiě jie mèi mei
歲 我 家 有 爸 爸 媽 媽 姐 姐 妹 妹

hé wǒ wǒ shàng zhōng xué wǒ jiě jie shàng
和 我 我 上 中 學 我 姐 姐 上

dà xué wǒ mèi mei yě shàng zhōng xué zài xué
大 學 我 妹 妹 也 上 中 學 在 學

xiào wǒ xué yīng yǔ rì yǔ hé hàn yǔ wǒ bà
校 我 學 英 語 日 語 和 漢 語 我 爸

ba shì dài fu wǒ mā ma shì yīng yǔ lǎo shī
爸 是 大 夫 我 媽 媽 是 英 語 老 師

wǒ men yì jiā rén dōu zhù zài běi jīng
我 們 一 家 人 都 住 在 北 京

16 Translation.

wǒ yǒu jǐ ge rì běn péng you
(1) 我 有 幾 個 日 本 朋 友。

tā qù guo hǎo jǐ ge dì fang
(2) 她 去 過 好 幾 個 地 方。

tā bà ba huì shuō hǎo jǐ zhǒng yǔ yán
(3) 他 爸 爸 會 說 好 幾 種 語 言。

hǎo jǐ ge yīng guó rén zài wǒ men xué xiào
(4) 好 幾 個 英 國 人 在 我 們 學 校
zuò yīng yǔ lǎo shī
做 英 語 老 師。

zhè jiā fàn diàn yǒu hǎo jǐ ge nán fú wù
(5) 這 家 飯 店 有 好 幾 個 男 服 務
yuán
員。

17 Match the Chinese with the English.

wǒ mā ma bù xǐ huan zuò jiā wù
(1) 我媽媽不喜歡做家務。

wáng dà lì fū fù dōu zài běi jīng
(2) 王大力夫婦都在北京

gōng zuò
工作。

lǐ fāng xiǎng xué yī
(3) 李方想學醫。

xiǎo wáng de zhàng ren shì ge yǒu míng de
(4) 小王的丈人是個有名的

yá yī
牙醫。

zhāng lǎo shī míng tiān chū yuàn
(5) 張老師明天出院。

wǒ xīng qī yī zài lái
(6) 我星期一再來。

(a) Both Mr. and Mrs. Wang Dali are working in Beijing.

(b) My mother does not like to do housework.

(c) Teacher Zhang will be discharged from hospital tomorrow.

(d) Li Fang wants to study medicine.

(e) I will come again on Monday.

(f) Xiao Wang's father-in-law is a famous dentist.

18 Translation.

Example

My name is Jane. I'm from England. I can speak English, German, French and a little Chinese.

wǒ jiào   wǒ shì yīng guó rén
我叫 Jane。我是英國人。

wǒ huì shuō yīng yǔ   dé yǔ   fǎ
我會說英語、德語、法

yǔ hé yì diǎnr   hàn yǔ
語和一點兒漢語。

1
My name is John. I am French, but my wife is Chinese. I can speak French, English and Chinese. My wife and I are living in Beijing at the moment.

2
My name is Wang Yue. I was born in Shanghai. I am Chinese, but my husband is American. I have been to many places around the world.

3
My name is David. I am from Germany. My wife is French. I can speak German, French and a little Chinese.

19 Reading comprehension.

wáng tài tai shì xiāng gǎng rén　　jīn nián sì shí sì suì　　tā yǒu yí ge ér zi　liǎng
王太太是香港人，今年四十四歲。她有一個兒子，兩

ge nǚ ér　　tā de dà nǚ ér jīn nián èr shí yī suì　　shàng dà xué sān nián jí　　tā zài
個女兒。她的大女兒今年二十一歲，上大學三年級，她在

dà xué xué fǎ yǔ hé dé yǔ　　tā de èr nǚ ér jīn nián shí jiǔ suì　　shàng dà xué yì nián
大學學法語和德語。她的二女兒今年十九歲，上大學一年

jí　　tā xué yī　　tā ér zi jīn nián shí wǔ suì　　shàng zhōng xué sān nián jí　　wáng tài
級，她學醫。她兒子今年十五歲，上中學三年級。王太

tai zài yì jiā rì běn gōng sī gōng zuò　　tā shì mì shū　　tā zhàng fu shì shàng hǎi rén
太在一家日本公司工作，她是秘書。她丈夫是上海人，

zài yì jiā měi guó yín háng gōng zuò　　tā men yì jiā xiàn zài zhù zài shàng hǎi
在一家美國銀行工作。他們一家現在住在上海。

wáng tài tai
王太太

Answer the questions.

wáng tài tai yǒu jǐ ge zǐ nǚ
(1) 王太太有幾個子女？

wáng tài tai de liǎng ge nǚ ér zuò shén me
(2) 王太太的兩個女兒做什麼？

tā zhàng fu zài nǎr　gōng zuò
(3) 她丈夫在哪兒工作？

wáng tài tai zuò shén me gōng zuò　　zài nǎr　gōng zuò
(4) 王太太做什麼工作？在哪兒工作？

20 Write a paragraph about yourself. Follow the guidelines.

jiào shén me míng zi　　duō dà le　　shàng jǐ nián jí
－叫什麼名字？多大了？上幾年級？

nǐ jiā yǒu jǐ kǒu rén　　yǒu shuí
－你家有幾口人？有誰？

zhù zài nǎr　　nǎr guó rén
－住在哪兒？哪國人？

bà ba　　mā ma zuò shén me gōng zuò　　zài nǎr　gōng zuò
－爸爸、媽媽做什麼工作？在哪兒工作？

nǐ qù guo shén me guó jiā　　huì shuō shén me yǔ yán
－你去過什麼國家？會說什麼語言？

生字

		′	八	公	公										
gōng public	公														
		一	ナ	丈											
zhàng a form of address	丈														
		一	十	才	木	朾	朾	柠	柠	枋	校				
xiào school	校														
		′	′	屮	生	步	先								
xiān first of all	先														
		了	⻖	⻖′	⻖′	阷	阷	陀	陀	院					
yuàn courtyard	院														
		ヽ	⸌	氵	汇	汇	沔	沔	洒	酒	酒				
jiǔ alcoholic drink; wine	酒														
		ヽ	一	广	广	庁	庄	店	店						
diàn shop; store	店														
		一	十	大	太										
tài too	太														
		′	𠂉	𠂤	𠂤	今	今	食	食	飠	飣	飯	飯		
fàn cooked rice; meal	飯														
		ヽ	一	广	广	广	庐	庐	庐	庐	庐	庐	廚	廚	廠
chǎng factory	廠														
		′	口	口	曰	曰	甲	里	里	黒	黒	黒	黙	點	點	點
diǎn dot; point; o'clock	點														

識字（九）

		一	ナ	ナ	灰	灰	灰	灰					
huī grey	灰												
		⺈	⺈	⺈	⺈	刍	多	多	多	象	象	象	象
xiàng elephant	象												
		⺊	⺊	白	白	白	自	鼻	鼻	鼻	畠	鼻	鼻
bí nose	鼻												
		丶	亠	六	古	古	声	高	高	高	高		
gāo high; tall	高												
		ノ	⺈	⺊	气	气	气	氣	氣	氣	氣		
qì gas; air	氣												

1 Dismantle the characters into parts.

nán
(1) 男 _____ _____

zhāng
(2) 張 _____ _____

hú
(3) 胡 _____ _____

bí
(4) 鼻 _____ _____ _____

chéng
(5) 程 _____ _____

xiào
(6) 校 _____ _____

yuàn
(7) 院 _____ _____

diàn
(8) 店 _____ _____

2 Give the meanings of the following phrases.

① 象 xiàng
- 大象 dà xiàng
- 小象 xiǎo xiàng
- 象牙 xiàng yá

② 氣 qì
- 天氣 tiān qì
- 力氣 lì qì
- 和氣 hé qì
- 生氣 shēng qì
- 小氣 xiǎo qì

③ 高 gāo
- 身高 shēn gāo
- 高大 gāo dà
- 高山 gāo shān
- 高中 gāo zhōng
- 高級 gāo jí

3 Give the meanings of the radicals. Find a word for each radical.

(1) 食 _____ _____

(2) 广 _____ _____

(3) 金 _____ _____

(4) 心 _____ _____

(5) 田 _____ _____

(6) 糸 _____ _____

生詞

第十五課　醫生　老師　東京　家庭主婦　商人　律師
yī shēng　lǎo shī　dōng jīng　jiā tíng zhǔ fù　shāng rén　lù shī

銀行家　大夫　護士　司機
yín háng jiā　dài fu　hù shi　sī jī

長大　生日卡　自己　畫
zhǎng dà　shēng ri kǎ　zì jǐ　huà

第十六課　做　服務員　喜歡　秘書　經理　工程師
zuò　fú wù yuán　xǐ huan　mì shū　jīng lǐ　gōng chéng shī

目　頭　足　烏　髮　白　牙　光
mù　tóu　zú　wū　fà　bái　yá　guāng

第十七課　公司　丈夫　學校　先生　醫院　酒店　太太
gōng sī　zhàng fu　xué xiào　xiān sheng　yī yuàn　jiǔ diàn　tài tai

飯店　工廠　女兒　兒子　女士　一點兒
fàn diàn　gōng chǎng　nǚ ér　ér zi　nǚ shì　yì diǎnr

律師行
lù shī háng

灰　大象　鼻子　個子　高　力氣
huī　dà xiàng　bí zi　gè zi　gāo　lì qi

總複習

1. **Jobs and occupations**

yī shēng	dài fu	hù shi	yá yī	lǎo shī	lǜ shī
醫生／大夫		護士	牙醫	老師	律師

gōng chéng shī	shāng rén	jīng lǐ	fú wù yuán	sī jī
工程師	商人	經理	服務員	司機

mì shū	yín háng jiā	gōng rén	jiā tíng zhǔ fù
秘書	銀行家	工人	（家庭主婦）

2. **Work places**

yī yuàn	yín háng	lǜ shī háng	xué xiào	gōng sī	jiǔ diàn
醫院	銀行	律師行	學校	公司	酒店

fàn diàn	gōng chǎng
飯店	工廠

3. **Verbs**

zuò	xǐ huan	huà	zhǎng dà
做	喜歡	畫	長大

4. **Adjectives and adverbs**

wū	gāo	bái	guāng	huī	lǎo
烏	高	白	光	灰	老

5. **Parts of the body**

kǒu	mù	tóu	tóu fa	zú	yá	bí zi	gè zi
口	目	頭	頭髮	足	牙	鼻子	（個子）

6. **People**

xiān sheng	tài tai	nǚ shì	zhàng fu	nǚ ér	ér zi
先生	太太	女士	丈夫	女兒	兒子

7. Study the word " 家 "

家 (1) family, home

wǒ jiā yǒu liù kǒu rén
我家有六口人。

wǒ míng tiān qù nǐ jiā
我明天去你家。

(2) measure word

tā zài yì jiā fàn diàn gōng zuò
他在一家飯店工作。

(3) expert

tā shì huà jiā
他是畫家。

tā shì yín háng jiā
他是銀行家。

8. Study the following sentences

tā mā ma zài yī yuàn gōng zuò
(1) 他媽媽在醫院工作。

tā bà ba zài yì jiā lǜ shī háng gōng zuò
(2) 她爸爸在一家律師行工作。

tā zài yì jiā dé guó gōng sī gōng zuò
(3) 他在一家德國公司工作。

wǒ jiě jie xiàn zài zài xiāng gǎng shàng xué
(4) 我姐姐現在在香港上學。

nǐ zài nǎr shàng xué
(5) 你在哪兒上學?

wǒ zài jiā děng nǐ
(6) 我在家等你。

9. Questions and answers

nǐ zuò shén me gōng zuò
(1) 你做什麼工作?

wǒ shì yī shēng
我是醫生。

nǐ zài nǎr gōng zuò
(2) 你在哪兒工作?

wǒ zài dōng jīng gōng zuò
我在東京工作。

nǐ xǐ huan nǐ de gōng zuò ma
(3) 你喜歡你的工作嗎?

bú tài xǐ huan
不太喜歡。

nǐ yǐ hòu xiǎng zuò shén me gōng zuò
(4) 你以後想做什麼工作?

wǒ xiǎng zuò lǜ shī
我想做律師。

nǐ yǐ hòu xiǎng zài nǎr gōng zuò
(5) 你以後想在哪兒工作?

jiā ná dà
加拿大。

測驗

1 Match the words with the pictures.

(a) 口 kǒu (b) 目 mù (c) 頭 tóu (d) 手 shǒu (e) 足 zú (f) 頭髮 tóu fa (g) 牙 yá (h) 耳 ěr

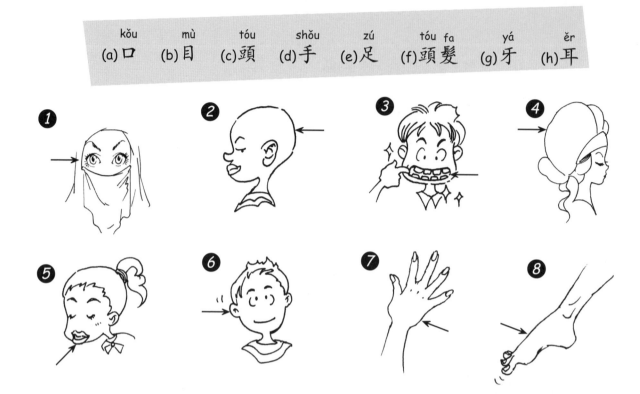

2 Circle the correct pinyin.

(1) 醫生　(a) yīshēng　(b) yīsēng

(2) 律師　(a) lùshī　(b) lùsī

(3) 做　(a) zòu　(b) zuò

(4) 經理　(a) jīnglǐ　(b) zhīnglǐ

(5) 喜歡　(a) shǐhuan　(b) xǐhuan

(6) 學校　(a) xuéxiào　(b) shuéshào

(7) 公司　(a) gōngshī　(b) gōngsī

(8) 想　(a) xiǎn　(b) xiǎng

3 Match the words in column A with the ones in column B.

A

(1) 醫生

(2) 律師

(3) 銀行家

(4) 老師

(5) 服務員

(6) 經理

(7) 牙醫

(8) 秘書

B

(a) 銀行

(b) 學校

(c) 醫院

(d) 律師行

(e) 公司

(f) 酒店

(g) 飯店

4 Find the opposites.

| 小 | 少 | 女 | 去 |
| 地 | 今 | 很多 | |

(1) 古 →

(2) 老 →

(3) 男 →

(4) 來 →

(5) 天 →

(6) 大 →

(7) 一點兒 →

5 Answer the questions in English.

(1) 你爸爸工作嗎？

(2) 你爸爸做什麼工作？

(3) 你爸爸在哪兒工作？

(4) 你爸爸喜歡他的工作嗎？

(5) 你媽媽做什麼工作？

(6) 你以後想做什麼工作？

(7) 你以後想在哪兒工作？

6 Translation.

(1) 他爸爸工作，他媽媽也工作。

(2) 她爸爸在西安工作。

(3) 他很喜歡他的工作。

(4) 她在一家美國銀行工作。

(5) 他現在沒有工作。

(6) He is a family doctor.

(7) She works in a bank.

(8) My father likes his job.

(9) He wants to be a lawyer.

(10) He works in his father's company.

7   Choose the correct translation.

(1) 大夫的律師   (a) doctor's lawyer   (b) lawyer's doctor

(2) 服務員的爸爸   (a) waiter's father   (b) father's waiter

(3) 經理的太太   (a) wife's manager   (b) manager's wife

(4) 她丈夫的老師   (a) her teacher's husband   (b) her husband's teacher

(5) 他哥哥的牙醫   (a) his elder brother's dentist   (b) his dentist's elder brother

8   Translation.

(1) the hotel manager

(2) her husband's secretary

(3) his wife's dentist

(4) her son's teacher

(5) my teacher's mother

(6) his mother's job

9   Find the odd one out.

(1) 醫生   律師   老師   酒店

(2) 商人   銀行   銀行家   經理

(3) 醫院   學校   公司   牙醫

(4) 商店   飯店   書店   校長

他叫李銀海,是一個律師,在一家美國律師行工作。

他家有四口人,他太太、兩個子女和他。他們是中國人,現在住在上海。他的太太是牙醫,在一家醫院工作。他女兒今年十二歲,上中學一年級。他兒子今年八歲,上小學三年級。他們都喜歡上學。

Answer the questions.

(1) 李銀海做什麼工作?

(2) 他在哪兒工作?

(3) 他家有幾口人?

(4) 他有幾個子女?

(5) 他的女兒今年多大了?上幾年級?

(6) 他的兒子今年幾歲了?上幾年級?

(7) 他太太做什麼工作?

(8) 他們一家人現在住在哪兒?

第五單元　上學、上班

第十八課　他天天坐校車上學

1 Circle the correct pinyin.

(1) 火車　　(a) hǔchē　　(b) huǒchē

(2) 汽車　　(a) qìchē　　(b) qìcē

(3) 地鐵　　(a) dìtěi　　(b) dìtiě

(4) 電車　　(a) diàngchē　(b) diànchē

(5) 飛機　　(a) fāijī　　(b) fēijī

(6) 同學　　(a) tónxué　　(b) tóngxué

2 Find at least one word for each radical.

(1) 氵　海 _____

(2) 金 _____

(3) 禾 _____

(4) 門 _____

(5) 羊 _____

(6) 广 _____

3 Finish the dialogues in Chinese.

(1) A: 你爸爸怎麼上班？（開車）

nǐ bà ba zěn me shàng bān　kāi chē

B: _____。

(2) A: 你姐姐怎麼上學？（坐校車）

nǐ jiě jie zěn me shàng xué　zuò xiào chē

B: _____。

(3) A: 你爺爺怎麼去東京？（坐飛機）

nǐ yé ye zěn me qù dōng jīng　zuò fēi jī

B: _____。

(4) A: 你們怎麼去上海？（坐火車）

nǐ men zěn me qù shàng hǎi　zuò huǒ chē

B: _____。

(5) A: _____?

B: 我哥哥坐電車上學。

wǒ gē ge zuò diàn chē shàng xué

(6) A: _____?

B: 李先生坐出租車去醫院。

lǐ xiān shēng zuò chū zū chē qù yī yuàn

(7) A: _____?

B: 她坐公共汽車去酒店。

tā zuò gōng gòng qì chē qù jiǔ diàn

(8) A: _____?

B: 王太太坐地鐵去銀行。

wáng tài tai zuò dì tiě qù yín háng

4 Fill in the blanks with the words in the box.

shénme	zěn me	nǎr	shuí	jǐ	duō dà
什麼	怎麼	哪兒	誰	幾	多大

nǐ xìng
(1) 你姓 _____ ?

nǐ jiào　　　míng zi
(2) 你叫 _____ 名字?

nǐ jiā yǒu　　　kǒu rén
(3) 你家有 _____ 口人?

nǐ jiā yǒu
(4) 你家有 _____ ?

nǐ jīn nián
(5) 你今年 _____ 了?

nǐ jiā zhù zài
(6) 你家住在 _____ ?

nǐ bà ba zuò　　　gōng zuò
(7) 你爸爸做 _____ 工作?

zài　　　gōng zuò
在 _____ 工作?

nǐ mā ma zuò　　　gōng zuò
(8) 你媽媽做 _____ 工作?

zài　　　gōng zuò
在 _____ 工作?

nǐ　　　shàng xué
(9) 你 _____ 上學?

5 Give the meanings of the following phrases.

kāi huì
開會

kāi mén
開門

kāi kǒu
開口

kāi　　kāi xué
① 開　開學

kāi shuǐ
開水

kāi xīn
開心

diàn gōng
電工

diàn huà
diàn　電話
② 電
diàn zǐ
電子

qì shuǐ
汽水
qì
③ 汽
shuǐ qì
水汽

bān jí
班級

bān zhǎng
班長

bān　bān chē
④ 班　班車

bān jī
班機

gōng ān
公安
gōng
⑤ 公
gōng kāi
公開

tóng xiào
同校

tóng bān
同班
tóng
⑥ 同
tóng děng
同等

tóng suì
同歲

6 Match the Chinese with the English.

míngtiān wǒ men kāi xiào huì
(1) 明天我們開校會。

zhè ge shǒu jī shì wǒ gē ge de
(2) 這個手機是我哥哥的。

xiǎo xīn kāi shuǐ
(3) 小心開水!

yín háng jiǔ diǎn kāi mén
(4) 銀行九點開門。

míng tiān wǒ men jiǔ diàn kāi zhāng
(5) 明天我們酒店開張。

wáng lì hé wǒ zài tóng yí ge xué xiào shàng xué
(6) 王力和我在同一個學校上學。

wáng xiān sheng míng tiān zuò sān diǎn de bān jī
(7) 王先生明天坐三點的班機

qù yīng guó
去英國。

zhè lǐ méi yǒu gōng yòng diàn huà
(8) 這裏沒有公用電話。

(a) Our hotel's grand opening is tomorrow.

(b) Be careful with the boiling water.

(c) We are having a school assembly tomorrow.

(d) Tomorrow Mr. Wang is taking the 3 o'clock flight to England.

(e) There is no public telephone here.

(f) This mobile phone is my elder brother's.

(g) The bank opens at nine.

(h) Wang Li and I go to the same school.

7 Reading comprehension.

gāo dà nián jīn nián shí suì   tā bà ba   mā ma dōu shì mǎ lái
高大年今年十歲。他爸爸、媽媽都是馬來
xī yà rén   tā men yì jiā wǔ kǒu xiàn zài zhù zài xiāng gǎng   tā hé dì
西亞人。他們一家五口現在住在香港。他和弟
dì   mèi mei tiān tiān dōu zuò xiào chē shàng xué   tā men zài tóng yí ge xué
弟、妹妹天天都坐校車上學。他們在同一個學
xiào shàng xué   tā bà ba shì gōng chéng shī   tā tiān tiān kāi chē shàng
校上學。他爸爸是工程師,他天天開車上
bān   tā mā ma shì lǎo shī   tā zuò gōng gòng qì chē shàng bān
班。他媽媽是老師,她坐公共汽車上班。

True or false?

gāo dà nián shì xiǎo xué shēng
(　)(1) 高大年是小學生。

gāo dà nián shì mǎ lái xī yà rén
(　)(2) 高大年是馬來西亞人。

tā yǒu xiōng dì jiě mèi
(　)(3) 他有兄弟姐妹。

tā méi yǒu jiě jie
(　)(4) 他没有姐姐。

tā de bà ba zuò dì tiě shàng bān
(　)(5) 他的爸爸坐地鐵上班。

8 Match the Chinese with the English.

shàng xué
(1) 上學

tóng xué
(2) 同學

tóng bān
(3) 同班

xué xiào
(4) 學校

xué sheng
(5) 學生

lǎo shī
(6) 老師

xiào zhǎng
(7) 校長

xiào chē
(8) 校車

(a) school

(b) go to school

(c) school bus

(d) teacher

(e) principal

(f) classmate

(g) schoolmate

(h) student

9 Correct the mistakes.

dà xiàng
(1) 大象 _____大象_____

lǜ shī
(2) 律师 _____

shāng rén
(3) 商人 _____

qì chē
(4) 汽车 _____

kāi chē
(5) 井车 _____

chū zū chē
(6) 出租车 _____

diàn chē
(7) 屯车 _____

10 Answer the following questions.

nǐ xìng shén me
(1) 你姓什麼？

nǐ jiào shén me míng zi
(2) 你叫什麼名字？

nǐ jīn nián duō dà le
(3) 你今年多大了？

nǐ jīn nián shàng jǐ nián jí
(4) 你今年上幾年級？

nǐ jiā yǒu jǐ kǒu rén
(5) 你家有幾口人？

nǐ yǒu xiōng dì jiě mèi ma
(6) 你有兄弟姐妹嗎？

nǐ yǒu méi yǒu gē ge
(7) 你有沒有哥哥？

nǐ bà ba mā ma dōu gōng zuò ma
(8) 你爸爸、媽媽都工作嗎？

nǐ bà ba shì lǜ shī ma
(9) 你爸爸是律師嗎？

nǐ mā ma shì yī shēng ma
(10) 你媽媽是醫生嗎？

nǐ bà ba zěn me shàng bān
(11) 你爸爸怎麼上班？

nǐ zěn me shàng xué
(12) 你怎麼上學？

nǐ qù guo shì jiè shang shén me dì fang
(13) 你去過世界上什麼地方？

nǐ huì shuō shén me yǔ yán
(14) 你會說什麼語言？

nǐ xiǎng xué shén me yǔ yán
(15) 你想學什麼語言？

nǐ zuò guò fēi jī ma
(16) 你坐過飛機嗎？

11 Find the missing words.

	chē	jī	qì chē	tiě
(a)	車	(b) 機	(c) 汽車	(d) 鐵

gōng gòng
(1) 公 共 _____

chū zū
(2) 出 租 _____

fēi
(3) 飛 _____

dì
(4) 地 _____

diàn
(5) 電 _____

xiào
(6) 校 _____

huǒ
(7) 火 _____

mǎ
(8) 馬 _____

12 Put the words / phrases into sentences.

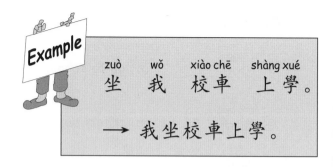

Example

zuò   wǒ   xiào chē   shàng xué
坐　我　校車　上學。

→ 我坐校車上學。

tā   shàng bān   diàn chē   zuò
(1) 他　上班　電車　坐。

kāi chē   shàng bān   wǒ bà ba
(2) 開車　上班　我爸爸。

tā dì di   shàng xué   xiào chē   zuò
(3) 她弟弟　上學　校車　坐。

chū zū chē   shàng bān   zuò   xiǎo wáng
(4) 出租車　上班　坐　小王。

zuò   qù dé guó   mǎ xiǎo lì   fēi jī
(5) 坐　去德國　馬小力　飛機。

13 Translation.

dà xiàng de bí zi cháng
(1) 大象的鼻子長。

xiǎo tiān zì jǐ huì huà shēng ri kǎ
(2) 小天自己會畫生日卡。

wǒ zuò xiào chē shàng xué
(3) 我坐校車上學。

bà ba kāi chē shàng bān
(4) 爸爸開車上班。

mā ma xīng qī liù zuò fēi jī qù yīng guó
(5) 媽媽星期六坐飛機去英國。

nǎi nai bú huì kāi chē
(6) 奶奶不會開車。

yé ye xǐ huan zuò diàn chē
(7) 爺爺喜歡坐電車。

14 Find the phrases. Write them out.

公	共	汽	車	飛
電	同	天	麼	機
地	開	學	校	怎
師	鐵	坐	上	班
火	車	出	租	車

(1) _____　　(5) _____

(2) _____　　(6) _____

(3) _____　　(7) _____

(4) _____　　(8) _____

生字

	ノ 人 亻 仆 丛 坐 坐														
zuò travel by; sit	坐														
	一 ㄷ 币 币 百 亘 車														
chē vehicle	車														
	丨 冂 冂 同 同 同														
tóng same; like	同														
	一 十 卄 共 共 共														
gòng common; general	共														
	丶 丶 氵 汀 汽 汽 汽														
qì vapour; steam	汽														
	丨 冂 冂 冂 冃 門 門 門 門 閂 開 開														
kāi drive; open; manage	開														
	一 二 干 王 玉 玌 玨 玭 班 班														
bān class; shift	班														
	一 二 千 禾 禾 利 和 和 租 租														
zū rent; hire	租														
	一 ㄇ 币 雨 雨 雨 雨 雨 雷 雷 雷 電														
diàn electricity	電														
	乁 乁 飞 飞 飞 飛 飛 飛 飛														
fēi fly	飛														
	丿 𠂉 乍 钅 牟 余 金 金 釒 針 鉄 銰 鐵 鐵 鐵 鐵 鐵 鐵														
tiě iron	鐵														

生 字

丿 乍 乍 乍 乍 乍 怎 怎 怎

zěn why; how	怎									

識字（十）

		一 丁 下									
xià below; next; get off	下										
		一 ナ 左 ナ 左									
zuǒ left	左										
		一 ナ 才 右 右									
yòu right	右										
		一 二 千 禾 禾 秃 季 季									
jì season	季										
		一 二 三 夫 夫 表 春 春 春									
chūn spring	春										
		一 一 厂 百 百 百 百 夏 夏 夏									
xià summer	夏										
		一 二 千 禾 禾 禾 秋 秋									
qiū autumn	秋										
		一 ク 久 冬 冬									
dōng winter	冬										

1   Finish the following diagrams.

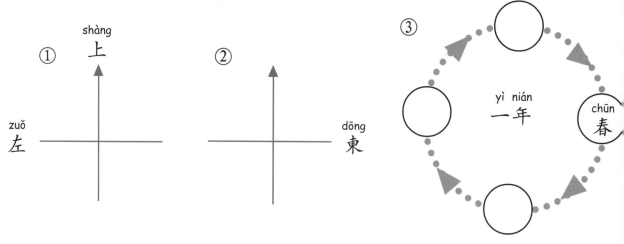

2   Give the meanings of the following phrases.

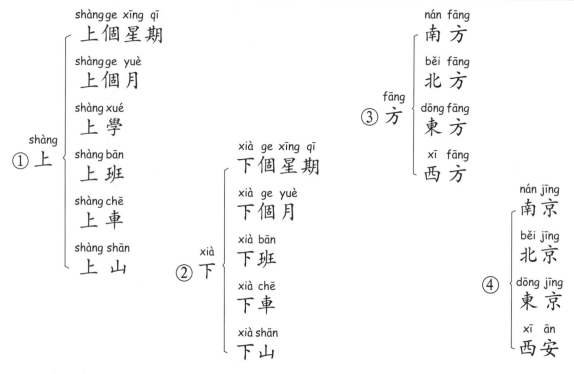

3   Translation.

      tā sān shí suì zuǒ yòu
(1) 他 三 十 歲 左 右。

      tā èr shí wǔ suì shàng xià
(2) 她 二 十 五 歲 上 下。

      wǒ jīn nián xué le hěn duō dōng xi
(3) 我 今 年 學 了 很 多 東 西。

      yì nián yǒu sì jì   chūn   xià   qiū   dōng
(4) 一 年 有 四 季: 春、夏、秋、冬。

      wǒ xǐ huan dōng tiān
(5) 我 喜 歡 冬 天。

第十九課　她坐地鐵上班

1 Write the pinyin for the following phrases.

(1) 喜歡 _____

(2) 自行車 _____

(3) 長大 _____

(4) 世界 _____

(5) 走路 _____

(6) 騎馬 _____

(7) 然後 _____

2 Find the phrases. Write them out.

每	長	大	然	後
騎	天	到	坐	從
走	路	坐	班	船
上	學	自	行	車

(1) _____ (4) _____

(2) _____ (5) _____

(3) _____ (6) _____

3 Match the words in column A with the ones in column B.

A

(1) 走 zǒu

(2) 騎 qí

(3) 坐 zuò

(4) 上 shàng

(5) 去 qù

(6) 開 kāi

(7) 下 xià

B

(a) 班 bān

(b) 路 lù

(c) 北京 běi jīng

(d) 飛機 fēi jī

(e) 汽車 qì chē

(f) 學 xué

(g) 出租車 chū zū chē

(h) 自行車 zì xíng chē

4 Translation.

(1) wǒ míng nián xiǎng qù fǎ guó kàn kan rán hòu qù yīng guó hé dé guó
我明年想去法國看看，然後去英國和德國。

(2) wáng yī shēng xiān zuò huǒ chē rán hòu zǒu lù qù yī yuàn
王醫生先坐火車，然後走路去醫院。

(3) zhāng lǎo shī měi tiān xiān zuò dì tiě rán hòu zuò chū zū chē shàng bān
張老師每天先坐地鐵，然後坐出租車上班。

(4) xiǎo míng zhǎng dà yǐ hòu xiǎng qù měi guó shàng dà xué rán hòu qù ōu zhōu gōng zuò
小明長大以後想去美國上大學，然後去歐洲工作。

161

5 Group the words according to their radicals.

(1) 灬 _____   (6) 王 _____

(2) 宀 _____   (7) 金 _____

(3) 足 _____   (8) 舟 _____

(4) 馬 _____   (9) 月 _____

(5) 刂 _____   (10) 禾 _____

zū	dào	tiě	rán	qí
租	到	鐵	然	騎
bān	qī	lù	chuán	měi
班	期	路	船	每

6 Correct the mistakes.

měi tiān
(1) 海天 _____

qí mǎ
(2) 骟马 _____

zì xíngchē
(3) 白行车 _____

zǒu lù
(4) 走路 _____

zuòchuán
(5) 坐般 _____

rán hòu
(6) 然后 _____

qì chē
(7) 气车 _____

7 Reading comprehension.

wǒ jiào jiā jia
我叫家家，
jīn nián bā suì shàng
今年八歲，上
xiǎo xué sì nián jí
小學四年級。
wǒ jiā yǒu wǔ kǒu
我家有五口
rén   yé ye   nǎi nai   bà ba   mā
人：爺爺、奶奶、爸爸、媽
ma hé wǒ   wǒ yé ye   nǎi nai bú tài
媽和我。我爺爺、奶奶不太
lǎo   liù shí duō suì   tā men bù gōng
老，六十多歲，他們不工
zuò   wǒ bà ba sān shí wǔ suì   shì jīng
作。我爸爸三十五歲，是經
lǐ   wǒ mā ma sān shí èr suì   shì yīng
理。我媽媽三十二歲，是英
yǔ lǎo shī   wǒ měi tiān zuò xiào chē shàng
語老師。我每天坐校車上
xué   wǒ bà ba měi tiān kāi chē shàng
學。我爸爸每天開車上
bān   wǒ mā ma bù xǐ huan zuò chē   tā
班。我媽媽不喜歡坐車，她
měi tiān zǒu lù shàng bān
每天走路上班。

True or false?

jiā jia jīn nián shàng zhōng xué sì nián jí
( )(1) 家家今年上中學四年級

tā yé ye   nǎi nai dōu gōng zuò
( )(2) 她爺爺、奶奶都工作。

tā bà ba shì jīng lǐ
( )(3) 她爸爸是經理。

tā mā ma shì hàn yǔ lǎo shī
( )(4) 她媽媽是漢語老師。

tā mā ma měi tiān zuò chē shàng bān
( )(5) 她媽媽每天坐車上班。

8 Match the Chinese with the English.

(1) mǎ lù
馬路

(2) shān lù
山路

(3) lù kǒu
路口

(4) gōng lù
公路

(5) wèn lù
問路

(6) fēi xíng yuán
飛行員

(7) cóng běi jīng dào
從北京到

shàng hǎi
上海

(8) cóng zuó tiān dào
從昨天到

jīn tiān
今天

(a) intersection

(b) from Beijing to Shanghai

(c) ask the way

(d) from yesterday to today

(e) mountain road

(f) pilot

(g) road; street

(h) highway

9 Translation.

(1) He was born in Beijing, but he grew up in Hong Kong.

(2) He takes the bus to school everyday.

(3) They attend the same school.

(4) From Monday to Friday, she takes the taxi to school.

(5) His younger brother likes riding horses.

(6) Can you ride a bicycle?

10 Fill in the blanks with the words in the box.

| zěn me 怎麼 | shén me 什麼 | jǐ 幾 | shuí 誰 | nǎ 哪 |
| nǎr 哪兒 | duō dà 多大 | ma 嗎 | ne 呢 | |

(1) nǐ jiā yǒu
你家有＿＿＿＿＿ kǒu rén 口人？

(2) ＿＿＿＿＿ shì tā gē ge 是他哥哥？

(3) tā xìng
他姓＿＿＿＿＿？

(4) xiǎo míng shì
小明是＿＿＿＿＿ guó rén 國人？

(5) wáng lǎo shī zhù zài
王老師住在＿＿＿＿＿？

(6) nǐ de bǐ yǒu jīn nián
你的筆友今年＿＿＿＿＿ le 了？

(7) nǐ mèi mei jīn nián
你妹妹今年＿＿＿＿＿ suì le 歲了？

(8) nǐ mā ma hǎo
你媽媽好＿＿＿＿＿？

(9) wǒ xìng shǐ
我姓史。 nǐ 你＿＿＿＿＿？

(10) tā huì shuō
她會説＿＿＿＿＿ yǔ yán 語言？

(11) nǐ bà ba zuò
你爸爸做＿＿＿＿＿ gōng zuò 工作？

(12) nǐ měi tiān
你每天＿＿＿＿＿ shàng xué 上學？

163

11 Reading comprehension.

李英田是醫生。她的
nán péng you jiào qí guǎng ān yě shì
男朋友叫齊廣安，也是
yī shēng tā men zài tóng yì jiā yī yuàn
醫生。他們在同一家醫院
gōng zuò lǐ yīng tián shì shàng hǎi rén
工作。李英田是上海人，
qí guǎng ān shì běi jīng rén lǐ yīng tián
齊廣安是北京人。李英田
měi xīng qī gōng zuò sì tiān tā zuò gōng
每星期工作四天。她坐公
gòng qì chē shàng bān qí guǎng ān měi
共汽車上班。齊廣安每
xīng qī gōng zuò liù tiān tā xiān zuò
星期工作六天。他先坐
chuán rán hòu zuò dì tiě shàng bān
船，然後坐地鐵上班。

qí guǎng ān
齊廣安

lǐ yīng tián
李英田

Answer the questions.

lǐ yīng tián zài nǎr gōng zuò
(1) 李英田在哪兒工作？

qí guǎng ān shì shuí
(2) 齊廣安是誰？

lǐ yīng tián měi xīng qī gōng zuò jǐ tiān
(3) 李英田每星期工作幾天？

tā zěn me shàng bān
(4) 她怎麼上班？

qí guǎng ān zěn me shàng bān
(5) 齊廣安怎麼上班？

12 Interview your partner with the following questions.

nǐ xìng shén me jiào shén me míng zi
(1) 你姓什麼？叫什麼名字？

nǐ chū shēng zài nǎr duō dà le
(2) 你出生在哪兒？多大了？

shàng jǐ nián jí
上幾年級？

nǐ shì nǎ guó rén
(3) 你是哪國人？

nǐ jiā lǐ yǒu jǐ kǒu rén yǒu shuí
(4) 你家裏有幾口人？有誰？

nǐ qù guo shén me guó jiā
(5) 你去過什麼國家？

nǐ huì shuō shén me yǔ yán
(6) 你會說什麼語言？

nǐ bà ba zuò shén me gōng zuò
(7) 你爸爸做什麼工作？

zài nǎr gōng zuò
在哪兒工作？

nǐ mā ma gōng zuò ma
(8) 你媽媽工作嗎？

nǐ bà ba mā ma zěn me shàng bān
(9) 你爸爸、媽媽怎麼上班？

nǐ zěn me shàng xué
(10) 你怎麼上學？

生字

		ノ	㇇	彳	彳	彳	彳	移	後	後		
hòu behind; back	後											
		ノ	㇒	仁	勾	勾	每	每				
měi every	每											
		一	厂	厂	戸	馬	馬	馬	馬	馬	馬	騎	騎	騎	騎	騎	騎
qí ride	騎											
		ノ	㇒	彳	彳	行	行					
xíng go; travel	行											
		ノ	㇒	彳	彳	彳	彳	彳	從	從	從	
cóng from	從											
		一	厶	互	互	至	至	到	到			
dào arrive; until	到											
		一	十	土	十	卡	走	走				
zǒu walk	走											
		丶	口	口	口	甲	甲	足	趵	趵	趵	路	路
lù road; journey	路											
		ノ	厂	力	力	角	角	船	船	船	船	
chuán boat; ship	船											
		ノ	㇒	夕	夕	夕	外	外	然	然	然	然
rán right	然											

識字（十一）

		` ´ ´` `宀` `宀` `宀` `宀` `宀` `宕` `寫` `寫` `寫` `寫` `寫`
xiě write	寫	
		` ´ ` `三` `毛`
máo writing brush	毛	
		`一` `十` `艹` `艹` `苎` `苎` `茦` `苹` `苹` `菜`
cài vegetable; dish	菜	
		`丿` `丿` `千` `竹` `竹` `竹`
zhú bamboo	竹	
		`丿` `丿` `竹` `竹` `竹` `竺` `笁` `笁` `笁` `筷` `筷`
kuài chopsticks	筷	

1 Match the words with the pictures.

dà zì	máo bǐ	guó huà
(a) 大字	(b) 毛筆	(c) 國畫
zhú kuài	zhōng guó fàn	
(d) 竹筷	(e) 中國飯	

① ② ③ ④ ⑤

2 Dismantle the characters into parts.

guó
(1) 國 囗 或 ＿＿

xiě
(2) 寫 ＿＿ ＿＿

zì
(3) 字 ＿＿ ＿＿

bǐ
(4) 筆 ＿＿ ＿＿

cài
(5) 菜 ＿＿ ＿＿

kuài
(6) 筷 ＿＿ ＿＿

tiě
(7) 鐵 ＿＿ ＿＿

3 Give the meanings of the following phrases.

hàn zì
漢字

wén zì
文字

míng zì
名字

shēng zì
生字

máo bǐ zì
毛筆字

zì
① 字

xiě zì
寫字

xiě zuò
寫作

dà xiě
大寫

xiǎo xiě
小寫

xiě
② 寫

máo bǐ
毛筆

bǐ jiān
筆尖

bǐ míng
筆名

bǐ yǒu
筆友

bǐ
③ 筆

zhōng guó cài
中國菜

fǎ guó cài
法國菜

bái cài
白菜

zuò cài
做菜

cài
④ 菜

1 Write the time in Chinese.

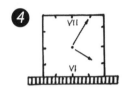

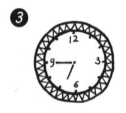

(1) 現在兩點。

(4) _____

(2) _____

(5) _____

(3) _____

(6) _____

2 Finish the dialogues in Chinese.

nǐ bà ba jǐ diǎn shàng bān
(1) A: 你爸爸幾點 上班？ (9:00)

B: _____。

nǐ mā ma jǐ diǎn shàng bān
(2) A: 你媽媽幾點 上班？ (8:30)

B: _____。

nǐ gē ge jǐ diǎn shàng xué
(3) A: 你哥哥幾點 上學？ (7:55)

B: _____。

nǐ yé ye jǐ diǎn qù yín háng
(4) A: 你爺爺幾點去銀行？ (3:15)

B: _____。

wáng xiǎo jiě jǐ diǎn qù gōng sī
(5) A: 王 小姐幾點去公司？ (10:20)

B: _____。

3 Write the pinyin for the following words.

(1) 菜_____

(5) 半_____

(9) 慢_____

(2) 零_____

(6) 錶_____

(10) 寫_____

(3) 分_____

(7) 點_____

(11) 筷_____

(4) 刻_____

(8) 快_____

(12) 竹_____

4 Match the Chinese with the English.

(1) yí bàn 一半   (a) right hand

(2) bàn tiān 半天   (b) half

(3) yòu shǒu 右手   (c) festival

(4) bàn nián 半年   (d) half a day

(5) zuó shǒu 左手   (e) Miss World

(6) kuài chē 快車   (f) half a month

(7) bàn ge yuè 半個月   (g) express train

(8) màn chē 慢車   (h) left hand

(9) jié rì 節日   (i) half a year

(10) shì jié xiǎo jiě 世界小姐   (j) slow train

5 Finish the following sentences.

(1) xiàn zài 現在 _____九點_____。(9:00)

(2) xiàn zài 現在 _____。(8:05)

(3) xiàn zài 現在 _____。(10:15)

(4) xiàn zài 現在 _____。(12:45)

(5) xiàn zài 現在 _____。(3:30)

6 Finish the following dialogues in Chinese.

1

3:10

A: nǐ jǐ diǎn lái wǒ jiā 你幾點來我家？

B: _____。

2

12:00

A: nǐ jǐ diǎn qù fàn diàn 你幾點去飯店？

B: _____。

3

7:30

A: nǐ jǐ diǎn shàng xué 你幾點上學？

B: _____。

7 Finish the following dialogues in Chinese.

(1) A: 你坐幾點的船去上海？ (8:15)　　B: _____
nǐ zuò jǐ diǎn de chuán qù shàng hǎi

(2) A: 你坐幾點的火車去北京？ (10:15)　　B: _____
nǐ zuò jǐ diǎn de huǒ chē qù běi jīng

(3) A: 你坐幾點的飛機去美國？ (6:40)　　B: _____
nǐ zuò jǐ diǎn de fēi jī qù měi guó

(4) A: 你坐幾點的汽車去學校？ (7:45)　　B: _____
nǐ zuò jǐ diǎn de qì chē qù xué xiào

(5) A: 你坐幾點的火車來我家？ (12:08)　　B: _____
nǐ zuò jǐ diǎn de huǒ chē lái wǒ jiā

8 Make new sentences based on the information given.

Example　8:00

zhāng yī shēng
張醫生

zuò dì tiě ／ shàng bān
坐地鐵 ／ 上班

張醫生八點上班。

她每天坐地鐵上班。

7:45

wáng fēi
❶ 王飛

zuò xiào chē ／ shàng xué
坐校車 ／ 上學

lǐ xiān shēng
❷ 李先生

kāi chē ／ shàng bān
開車 ／ 上班

8:15

8:35

mǎ xiǎo jiě
❸ 馬小姐

zuò fēi jī ／ qù yīng guó
坐飛機 ／ 去英國

9:30

zhāng jīng lǐ
❹ 張經理

zuò huǒ chē ／ qù běi jīng
坐火車 ／ 去北京

170

20

9 Finish the dialogues in Chinese.

Example

tā shì zhōng xué shēng hái shi dà xué shēng
A: 她是中學生還是大學生？

B: 她是中學生。

1

zuò huǒ chē kuài hái shi qí zì xíng chē kuài
A: 坐火車快還是騎自行車快？

B: _____

2

tā shì rì běn rén hái shi zhōng guó rén
A: 她是日本人還是中國人？

B: _____

3

tā shì hù shi hái shi lǎo shī
A: 她是護士還是老師？

B: _____

4

nǐ zuò kuài chē qù běi jīng hái shi zuò màn chē qù
A: 你坐快車去北京還是坐慢車去？

B: _____

5

tā zǒu lù shàng xué hái shi qí chē shàng xué
A: 他走路上學還是騎車上學？

B: _____

171

10 Reading comprehension.

wǒ yǒu yí ge gē ge　tā jīn nián shí jiǔ suì　tā xiàn zài zài yīng guó yí ge yǒu
我有一個哥哥,他今年十九歲。他現在在英國一個有

míng de dà xué lǐ shàng yì nián jí　　tā xué fǎ lù hé zhōng wén　　míng nián tā men quán
名的大學裏上一年級。他學法律和中文。明年他們全

bān tóng xué dōu huì qù zhōng guó de běi jīng dà xué xué zhōng wén　tā yǐ hòu xiǎng qù zhōng
班同學都會去中國的北京大學學中文。他以後想去中

guó zuò lù shī
國做律師。

True or false ?

tā gē ge zài měi guó shàng dà xué
( )(1) 他哥哥在美國上大學。

tā gē ge xué fǎ yǔ hé zhōng wén
( )(2) 他哥哥學法語和中文。

míng nián tā gē ge hé quán bān tóng xué qù zhōng guó
( )(3) 明年他哥哥和全班同學去中國。

tā gē ge yǐ hòu xiǎng qù zhōng guó gōng zuò
( )(4) 他哥哥以後想去中國工作。

11 Correct the mistakes.

xiě
(1) 写 _____

dōng
(8) 冬 _____

kè
(2) 刻 _____

cháng
(9) 长 _____

bàn
(3) 羊 _____

qí
(10) 骑 _____

biǎo
(4) 表 _____

chuán
(11) 舩 _____

màn
(5) 慢 _____

dào
(12) 到 _____

fēn
(6) 分 _____

zuǒ
(13) 左 _____

xiān
(7) 兂 _____

chūn
(14) 春 _____

12 Translation.

(1) What time is it by your watch?

(2) I will take the 8 o'clock flight to Shanghai.

(3) Are you a student or a teacher ?

(4) My father first takes the bus and then the train to work.

(5) Mr. Wang will take the express train to Beijing.

生字

	丶 丷 半 半 半	
bàn half	半	
	一 ⺵ 币 币 币 雨 雪 雪 雩 雭 雭 零 零	
líng zero	零	
	ノ 八 分 分	
fēn minute	分	
	丶 亠 亡 亥 亥 亥 刻 刻	
kè a quarter (of an hour)	刻	
	ノ 𠂉 乍 乍 年 余 金 金 金 金 釒 鋯 鋯 錶 錶	
biǎo meter; watch	錶	
	丶 丶 忄 忄 忄 忆 快 快	
kuài quick; fast	快	
	丶 丶 忄 忄 忄 忄 忄 悍 悍 悍 悍 慢 慢	
màn slow	慢	

識字（十二）

	ノ ト ⺮ ⺮ ⺮ 笙 竿 竿 笱 笪 笪 節 節
jié festival; knot; section	節
	ㄥ ㄠ ㄠ ㄠ ㄠ 糸 糸 紣 糸 給 給 給
gěi give; for	給
	ㄥ ㄠ ㄠ ㄠ 糸 糸 糸 紅 紅 紅
hóng red	紅
	ノ ク 勹 勺 包
bāo packet; bag	包
	ㄱ 了 孑 孑 孑 孖 孩 孩 孩
hái child	孩
	ノ ト ⺮ ⺮ ⺮ 笙 笙 竺 竿 笑
xiào smile; laugh	笑

1 Give the meanings of the following phrases.

① 孩 hái

孩子 hái zi

小孩 xiǎo hái

男孩 nán hái

女孩 nǚ hái

② 包 bāo

包子 bāo zi

書包 shū bāo

紅包 hóng bāo

③ 笑 xiào

好笑 hǎo xiào

可笑 kě xiào

大笑 dà xiào

說笑話 shuō xiào hua

④ 節 jié

春節 chūn jié

中秋節 zhōng qiū jié

節日 jié rì

季節 jì jié

2 Translation.

cóng shàng dào xià
(1) 從 上 到 下

cóng zuǒ dào yòu
(2) 從 左 到 右

cóng xiǎo dào dà
(3) 從 小 到 大

cóng gǔ dào jīn
(4) 從 古 到 今

cóng běi jīng dào shàng hǎi
(5) 從 北 京 到 上 海

3 Give the meanings of the following phrases.

chūn jié
(1) 春節 _____

hóng bāo
(2) 紅 包 _____

hái zi
(3) 孩子 _____

máo bǐ
(4) 毛筆 _____

zhōng guó huà
(5) 中 國 畫 _____

xiě zì
(6) 寫字 _____

chūn tiān
(7) 春 天 _____

dōng tiān
(8) 冬 天 _____

xià tiān
(9) 夏 天 _____

qiū tiān
(10) 秋 天 _____

1　Write the time in Chinese.

①
zǎo shang
早上

④
xià wǔ
下午

②
zǎo shang
早上

⑤
xià wǔ
下午

③
xià wǔ
下午

⑥
wǎn shang
晚上

(1) 現在是早上六點。

(2) _____

(3) _____

(4) _____

(5) _____

(6) _____

2　Answer the questions based on the calendar.

二〇〇一年					一月	
日	一	二	三	四	五	六
	1	2	3	4	5	6
7	8	9	10/今天	11	12	13
14	15	16	17	18	19	20

jīn tiān shì jǐ yuè jǐ hào　xīng qī jǐ
(1) 今天是幾月幾號？星期幾？

zuó tiān shì jǐ yuè jǐ hào
(2) 昨天是幾月幾號？

míng tiān xīng qī jǐ
(3) 明天星期幾？

jīn nián shì nǎ nián
(4) 今年是哪年？

qù nián shì yī jiǔ jiǔ jiǔ nián ma
(5) 去年是一九九九年嗎？

shàng ge yuè shì jǐ yuè
(6) 上個月是幾月？

yī yuè èr hào shì xīng qī jǐ
(7) 一月二號是星期幾？

3　Write the pinyin for the following phrases.

(1) 上午 _____

(2) 晚上 _____

(3) 吃早飯 _____

(4) 放學 _____

(5) 回家 _____

(6) 看書 _____

(7) 更快 _____

(8) 最慢了 _____

(9) 下班 _____

4 True or false ?

( )(1) <ruby>騎<rt>qí</rt></ruby> <ruby>自<rt>zì</rt></ruby> <ruby>行<rt>xíng</rt></ruby> <ruby>車<rt>chē</rt></ruby> <ruby>比<rt>bǐ</rt></ruby> <ruby>走<rt>zǒu</rt></ruby> <ruby>路<rt>lù</rt></ruby> <ruby>快<rt>kuài</rt></ruby>。

( )(2) <ruby>英<rt>yīng</rt></ruby> <ruby>國<rt>guó</rt></ruby> <ruby>比<rt>bǐ</rt></ruby> <ruby>德<rt>dé</rt></ruby> <ruby>國<rt>guó</rt></ruby> <ruby>小<rt>xiǎo</rt></ruby>。

( )(3) <ruby>法<rt>fǎ</rt></ruby> <ruby>國<rt>guó</rt></ruby> <ruby>比<rt>bǐ</rt></ruby> <ruby>美<rt>měi</rt></ruby> <ruby>國<rt>guó</rt></ruby> <ruby>大<rt>dà</rt></ruby>。

( )(4) <ruby>中<rt>zhōng</rt></ruby> <ruby>國<rt>guó</rt></ruby> <ruby>的<rt>de</rt></ruby> <ruby>歷<rt>lì</rt></ruby> <ruby>史<rt>shǐ</rt></ruby> <ruby>比<rt>bǐ</rt></ruby> <ruby>美<rt>měi</rt></ruby> <ruby>國<rt>guó</rt></ruby> <ruby>的<rt>de</rt></ruby> <ruby>長<rt>cháng</rt></ruby>。

( )(5) <ruby>中<rt>zhōng</rt></ruby> <ruby>國<rt>guó</rt></ruby> <ruby>的<rt>de</rt></ruby> <ruby>人<rt>rén</rt></ruby> <ruby>口<rt>kǒu</rt></ruby> <ruby>比<rt>bǐ</rt></ruby> <ruby>加<rt>jiā</rt></ruby> <ruby>拿<rt>ná</rt></ruby> <ruby>大<rt>dà</rt></ruby> <ruby>的<rt>de</rt></ruby> <ruby>多<rt>duō</rt></ruby>。

( )(6) <ruby>上<rt>shàng</rt></ruby> <ruby>海<rt>hǎi</rt></ruby> <ruby>的<rt>de</rt></ruby> <ruby>人<rt>rén</rt></ruby> <ruby>口<rt>kǒu</rt></ruby> <ruby>比<rt>bǐ</rt></ruby> <ruby>香<rt>xiāng</rt></ruby> <ruby>港<rt>gǎng</rt></ruby> <ruby>的<rt>de</rt></ruby> <ruby>多<rt>duō</rt></ruby>。

( )(7) <ruby>坐<rt>zuò</rt></ruby> <ruby>火<rt>huǒ</rt></ruby> <ruby>車<rt>chē</rt></ruby> <ruby>比<rt>bǐ</rt></ruby> <ruby>坐<rt>zuò</rt></ruby> <ruby>飛<rt>fēi</rt></ruby> <ruby>機<rt>jī</rt></ruby> <ruby>快<rt>kuài</rt></ruby>。

( )(8) <ruby>走<rt>zǒu</rt></ruby> <ruby>路<rt>lù</rt></ruby> <ruby>比<rt>bǐ</rt></ruby> <ruby>坐<rt>zuò</rt></ruby> <ruby>出<rt>chū</rt></ruby> <ruby>租<rt>zū</rt></ruby> <ruby>車<rt>chē</rt></ruby> <ruby>慢<rt>màn</rt></ruby>。

5 Give the meanings of the following radicals. Find at least one word for each radical.

(1) 日 _____

(2) 王 _____

(3) 方 _____

(4) 冂 _____

(5) 雨 _____

(6) 禾 _____

(7) 月 _____

6 Match the Chinese with the English.

(1) <ruby>手<rt>shǒu</rt></ruby> <ruby>錶<rt>biǎo</rt></ruby>　　(a) tonight

(2) <ruby>表<rt>biǎo</rt></ruby> <ruby>哥<rt>gē</rt></ruby>　　(b) good night

(3) <ruby>電<rt>diàn</rt></ruby> <ruby>表<rt>biǎo</rt></ruby>　　(c) watch

(4) <ruby>水<rt>shuǐ</rt></ruby> <ruby>表<rt>biǎo</rt></ruby>　　(d) good-looking

(5) <ruby>今<rt>jīn</rt></ruby> <ruby>晚<rt>wǎn</rt></ruby>　　(e) cousin

(6) <ruby>晚<rt>wǎn</rt></ruby> <ruby>安<rt>ān</rt></ruby>　　(f) electricity metre

(7) <ruby>好<rt>hǎo</rt></ruby> <ruby>看<rt>kàn</rt></ruby>　　(g) return to the country

(8) <ruby>回<rt>huí</rt></ruby> <ruby>國<rt>guó</rt></ruby>　　(h) water metre

7 Correct the mistakes.

(1) <ruby>吃<rt>chī</rt></ruby> <ruby>饭<rt>fàn</rt></ruby> _____

(2) <ruby>上<rt>shàng</rt></ruby> <ruby>牛<rt>wǔ</rt></ruby> _____

(3) <ruby>晚<rt>wǎn</rt></ruby> <ruby>上<rt>shang</rt></ruby> _____

(4) <ruby>看<rt>kàn</rt></ruby> <ruby>书<rt>shū</rt></ruby> _____

(5) <ruby>南<rt>nán</rt></ruby> <ruby>方<rt>fāng</rt></ruby> _____

(6) <ruby>毛<rt>máo</rt></ruby> <ruby>笔<rt>bǐ</rt></ruby> _____

(7) <ruby>写<rt>xiě</rt></ruby> <ruby>字<rt>zì</rt></ruby> _____

(8) <ruby>更<rt>gèng</rt></ruby> <ruby>快<rt>kuài</rt></ruby> _____

(9) <ruby>放<rt>fàng</rt></ruby> <ruby>学<rt>xué</rt></ruby> _____

8 Put the hands on the clocks.

① 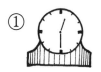   ⑤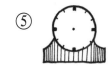

②   ⑥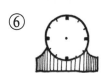

③   ⑦

④   ⑧

xiàn zài shí èr diǎn bàn
(1) 現在十二點半。

xiàn zài qī diǎn yí kè
(2) 現在七點一刻。

xiàn zài sān diǎn èr shí fēn
(3) 現在三點二十分。

xiàn zài qī diǎn sān kè
(4) 現在七點三刻。

xiàn zài bā diǎn wǔ shí fēn
(5) 現在八點五十分。

xiàn zài shí diǎn èr shí wǔ fēn
(6) 現在十點二十五分。

xiàn zài shí yī diǎn bàn
(7) 現在十一點半。

xiàn zài jiǔ diǎn líng wǔ fēn
(8) 現在九點零五分。

9 Reading comprehension.

liǎng ge xīng qī
兩個星期

hòu   wǒ jiě jie qù
後，我姐姐去

měi guó shàng dà xué
美國上大學。

tā   qù xué fǎ lù
她去學法律，

tā yǐ hòu xiǎng zuò lù shī   wǒ men quán jiā zài
她以後想做律師。我們全家在

měi guó zhù guo sì nián   wǒ men xiàn zài zhù zài
美國住過四年，我們現在住在

xiāng gǎng   wǒ hé jiě jie dōu hěn xǐ huān měi guó
香港。我和姐姐都很喜歡美國，

wǒ yǐ hòu yě xiǎng qù měi guó shàng dà xué
我以後也想去美國上大學。

Answer the questions.

tā jiě jie nǎ tiān qù měi guó
(1) 她姐姐哪天去美國？

tā jiě jie xiǎng zài dà xué lǐ xué shén me
(2) 她姐姐想在大學裏學什麼？

tā jiě jie yǐ hòu xiǎng zuò shén me
(3) 她姐姐以後想做什麼？

tā men yì jiā zài měi guó zhù guo ma
(4) 他們一家在美國住過嗎？

tā men yì jiā xiàn zài zhù zài nǎr
(5) 他們一家現在住在哪兒？

10 Find the opposites.

kuài
(1) 快 →

nǎn
(2) 男 →

lǎo
(3) 老 →

lái
(4) 來 →

shàng bān
(5) 上班 →

shàng xué
(6) 上學 →

fàng xué   nǔ   shào
(a) 放學   (b) 女   (c) 少

qù   xià bān   màn
(d) 去   (e) 下班   (f) 慢

21

11 Match the question with the answer.

nǐ zuò jǐ diǎn de bān jī qù měi guó
(1) 你坐幾點的班機去美國？

nǐ nǎ tiān cóng yīng guó huí lai
(2) 你哪天從英國回來？

nǐ bà ba jǐ diǎn xià bān
(3) 你爸爸幾點下班？

nǐ jiā shuí zuì gāo
(4) 你家誰最高？

nǐ qù guo běi jīng ma
(5) 你去過北京嗎？

nǐ mā ma shì lǎo shī hái shi hù shi
(6) 你媽媽是老師還是護士？

nǐ xǐ huan kàn shén me shū
(7) 你喜歡看什麼書？

nǐ jǐ diǎn fàng xué huí jiā
(8) 你幾點放學回家？

méi yǒu qù guo běi jīng dàn shì qù guo shàng hǎi
(a) 沒有去過北京，但是去過上海。

zuò jiǔ diǎn wǔ shí fēn de bān jī
(b) 坐九點五十分的班機。

wǒ gē ge zuì gāo
(c) 我哥哥最高。

wǒ xǐ huan kàn xiǎo rén shū
(d) 我喜歡看小人書。

sān diǎn bàn fàng xué huí jiā
(e) 三點半放學回家。

tā wǔ diǎn xià bān
(f) 他五點下班。

xià ge yuè jiǔ hào
(g) 下個月九號。

tā shì hàn yǔ lǎo shī
(h) 她是漢語老師。

12 Translation.

hòu tiān shì wǒ de shēng ri
(1) 後天是我的生日。

wǒ mā ma zuò de cài hěn hǎo chī
(2) 我媽媽做的菜很好吃。

wǒ dì di bú huì xiě máo bǐ zì
(3) 我弟弟不會寫毛筆字。

bà ba bǐ wǒ gāo
(4) 爸爸比我高。

tā de shū bāo bǐ wǒ de hǎo kàn
(5) 他的書包比我的好看。

xià gè yuè liù hào shì zhōng qiū jié
(6) 下個月六號是中秋節。

wǒ zuì xǐ huan chūn tiān
(7) 我最喜歡春天。

13 Answer the questions in English.

shì jiè shang nǎ ge dì fang zuì gāo
(1) 世界上哪個地方最高？

shì jiè shang nǎ ge guó jiā de rén kǒu zuì duō
(2) 世界上哪個國家的人口最多？

shì jiè shang nǎ ge guó jiā zuì dà
(3) 世界上哪個國家最大？

nǎ zhǒng fēi jī zuì kuài
(4) 哪種飛機最快？

yì nián lǐ nǎ yì tiān zuì cháng
(5) 一年裏哪一天最長？

shì jiè shang nǎ zhǒng huǒ chē zuì kuài
(6) 世界上哪種火車最快？

shì jiè shang nǎ ge hǎi yáng zuì dà
(7) 世界上哪個海洋最大？

14 Answer the questions according to the timetable.

	Departure	Arrival
shàng hǎi　　běi jīng 上 海 → 北 京	8:00	22:05
běi jīng　　xī ān 北 京 → 西 安	5:30	21:30
shàng hǎi　　nán jīng 上 海 → 南 京	12:15	14:15
nán jīng　　běi jīng 南 京 → 北 京	5:45	20:45

cóng shàng hǎi qù běi jīng　nǐ zuò jǐ diǎn
(1) A: 從 上 海 去 北 京, 你 坐 幾 點

de huǒ chē　　nǐ jǐ diǎn dào běi jīng
的 火 車? 你 幾 點 到 北 京?

B: 坐 早 上 八 點 的 火 車。 晚 上

十 點 零 五 分 到 北 京。

cóng běi jīng qù xī ān　nǐ zuò jǐ diǎn
(2) A: 從 北 京 去 西 安, 你 坐 幾 點

de huǒ chē　　nǐ jǐ diǎn dào xī ān
的 火 車? 你 幾 點 到 西 安?

B : _____

cóng shàng hǎi qù nán jīng　nǐ zuò jǐ diǎn
(3) A: 從 上 海 去 南 京, 你 坐 幾 點

de huǒ chē　　nǐ jǐ diǎn dào nán jīng
的 火 車? 你 幾 點 到 南 京?

B : _____

cóng nán jīng qù běi jīng　nǐ zuò jǐ diǎn
(4) A: 從 南 京 去 北 京, 你 坐 幾 點

de huǒ chē　　nǐ jǐ diǎn dào běi jīng
的 火 車? 你 幾 點 到 北 京?

B : _____

15 Ask questions.

Example

měi guó
→ 美 國

你 坐 幾 點 的 飛 機 去 美 國?

shàng hǎi
❶ → 上 海

_____ ?

yīng guó
❷ → 英 國

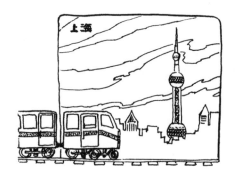

_____ ?

16 Make comparative sentences. Follow the example.

Example

騎自行車比走路快。

坐出租車更快。

坐地鐵最快了。

1

妹妹　　二姐　　大姐　　媽媽

二姐比妹妹高。

_____

_____

17 Reading comprehension.

zhè ge xīng qī liù
這個星期六

xiǎo hóng hé tā jiā rén
小紅和她家人

zuò fēi jī qù běi jīng　　tā men xiǎng qù kàn
坐飛機去北京。他們想去看

kan tiān ān mén　　　yě xiǎng qù kàn kan yǒu míng
看天安門，也想去看看有名

de běi jīng dà xué　　běi jīng dà xué yǒu
的北京大學。北京大學有 100

nián de lì shǐ　　dà xué lǐ de xué shengdōu
年的歷史，大學裏的學生都

shì lái zì quán guó zuì hǎo de xué sheng
是來自全國最好的學生。

True or false ?

xiǎo hóng yì jiā rén xià ge xīng
( )(1) 小紅一家人下個星

qī liù qù běi jīng
期六去北京。

tā men zuò huǒ chē qù běi jīng
( )(2) 他們坐火車去北京。

tiān ān mén zài běi jīng
( )(3) 天安門在北京。

běi jīng dà xué hěn yǒu míng
( )(4) 北京大學很有名。

běi jīng dà xué de xué sheng dōu
( )(5) 北京大學的學生都

shì běi jīng rén
是北京人。

生字

bǐ compare	比	一	匕	比	比						
wǔ noon	午	丿	乍	乍	午						
wǎn evening; late	晚	丨	冂	日	日	日丿	日㇇	日免	晚	晚	晚
chī eat	吃	丨	冂	口	口丿	口㇡	吃				
fàng let go	放	丶	亠	方	方	方丿	扩	放	放		
huí return	回	丨	冂	冋	同	同	回				
kàn see; look; watch	看	丿	二	三	手	看	看	看	看	看	
gèng ever more	更	一	厂	冂	曰	百	更	更			
zuì most	最	丨	冂	日	旦	旦	昌	昌	昌	最	最

生詞

第十八課　天天　坐校車　同學　公共汽車　開車　上班

tiān tiān　zuò xiào chē　tóng xué　gōng gòng qì chē　kāi chē　shàng bān

出租（汽）車　電車　火車　飛機　地鐵　怎麼

chū zū qì chē　diàn chē　huǒ chē　fēi jī　dì tiě　zěn me

下　左　右　一年四季　春　夏　秋　冬

xià　zuǒ　yòu　yì nián sì jì　chūn　xià　qiū　dōng

第十九課　以後　每天＝天天　騎馬　騎自行車

yǐ hòu　měi tiān　tiān tiān　qí mǎ　qí zì xíng chē

從……到……　走路　船　先……然後……

cóng　dào　zǒu lù　chuán　xiān　rán hòu

寫　毛筆　菜　竹筷

xiě　máo bǐ　cài　zhú kuài

第二十課　早上　七點半　四點　幾點　兩點零五分　十一點一刻

zǎo shang　qī diǎn bàn　sì diǎn　jǐ diǎn　liǎng diǎn líng wǔ fēn　shí yī diǎn yí kè

十一點三刻　錶　快車　還是　慢車

shí yī diǎn sān kè　biǎo　kuài chē　hái shi　màn chē

春節　給　紅包　孩子　開口　笑

chūn jié　gěi　hóng bāo　hái zi　kāi kǒu　xiào

第二十一課　比　上午　中午　下午　晚上　吃早飯

bǐ　shàng wǔ　zhōng wǔ　xià wǔ　wǎn shang　chī zǎo fàn

吃午／中飯　吃晚飯　放學　回家　下班　全家

chī wǔ zhōng fàn　chī wǎn fàn　fàng xué　huí jiā　xià bān　quán jiā

看書　更快　最快

kàn shū　gèng kuài　zuì kuài

總複習

1. Modes of transport

qì chē	gōng gòng qì chē	diàn chē	huǒ chē	fēi jī	chū zū qì chē
汽車	公共汽車	電車	火車	飛機	出租（汽）車

dì tiě	chuán	zì xíng chē	xiào chē
地鐵	船	自行車	校車

2. Means of travel

zuò chē	qí zì xíng chē	zǒu lù	kāi chē	zuò chuán	zuò fēi jī	zuò huǒ chē
坐車	騎自行車	走路	開車	坐船	坐飛機	坐火車

zuò gōng gòng qì chē	zuò chū zū chē	zuò xiào chē	zuò dì tiě	qí mǎ
坐公共汽車	坐出租車	坐校車	坐地鐵	騎馬

3. Time words

diǎn	fēn	kè	bàn	líng	zǎo shang	shàng wǔ	zhōng wǔ	xià wǔ	wǎn shang
點	分	刻	半	零	早上	上午	中午	下午	晚上

měi tiān	tiān tiān	hòu tiān	yǐ hòu
每天＝天天	後天	以後	

4. Verbs

zuò chē	kāi chē	qí chē	zǒu lù	chī fàn	fàng xué	huí jiā
坐車	開車	騎車	走路	吃飯	放學	回家

shàng xià bān	kàn shū	bǐ	xiě zì	yòng	gěi	kāi kǒu	xiào
上／下班	看書	比	寫字	用	給	開口	笑

5. Conjunctions

(1) 從……到……
cóng……dào……

從星期一到星期五我每天早上七點上學。
cóng xīng qī yī dào xīng qī wǔ wǒ měi tiān zǎo shang qī diǎn shàng xué

(2) 先……，然後……
xiān……，rán hòu……

我每天先走路，然後坐校車上學。
wǒ měi tiān xiān zǒu lù，rán hòu zuò xiào chē shàng xué

184

6. Adjectives and adverbs

kuài	màn	wǎn	hóng	gèng	zuì
快	慢	晚	紅	更	最

7. Directions

dōng	nán	xī	běi	shàng	xià	zuǒ	yòu
東	南	西	北	上	下	左	右

8. Seasons

jì jié chūn xià qiū dōng
季節：春 夏 秋 冬

9. Festivals

jié rì chūn jié
節日：春節

10. Grammar

qù běi jīng de huǒ chē sān diǎn kāi
(1) 去北京的火車三點開。

wǒ zuò bā diǎn de fēi jī qù dōngjīng
(2) 我坐八點的飛機去東京。

qí chē bǐ zǒu lù kuài
(3) 騎車比走路快。

gē ge bǐ jiě jie gèng gāo
(4) 哥哥比姐姐更高。

wáng xiǎo jie zuì hǎo kàn le
(5) 王小姐最好看了。

11. Questions and answers

(1) 你每天怎麼上學？   我坐校車上學。

(2) 你爸爸每天怎麼上班？   他開車上班。

(3) 今天你想怎麼去學校？   我想坐出租車去學校。

(4) 你的錶幾點了？（現在幾點了？）   十一點一刻。

(5) 你明天幾點來我家？   九點。

(6) 你明天坐幾點的飛機去上海？   坐下午四點二十分的飛機。

(7) 你會騎自行車嗎？   會。

(8) 你今年上七年級還是八年級？   我上七年級。

(9) 今天是八號還是九號？   九號。

(10) 你喜歡春天還是冬天？   我喜歡冬天。

測驗

1 Finish the following diagrams.

① 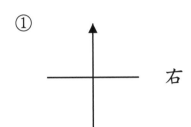 右

② 西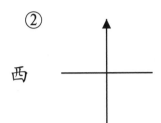

2 Find the odd one out.

(1) 飛機　　火車　　汽車　　開車

(2) 分　　上　　刻　　半

(3) 快　　慢　　晚　　錶

(4) 自行車　人力車　出租車　走路

(5) 在　　來　　去　　到

(6) 春　　笑　　夏　　秋

3 Fill in the blanks with the words in the box.

(1) 他每天_____電車上班。

(2) 我今天_____飛機去北京。

(3) 她明天_____自行車去公司。

坐　　騎

(4) 我弟弟非常喜歡_____馬。

(5) 他爸爸每天先_____船，然後_____地鐵上班。

4 Fill in the blanks with the words in the box.

呢　嗎　什麼　幾　多大　誰　哪　哪兒　怎麼

(1) 你家人好＿＿＿？

(2) 我很好，你＿＿＿？

(3) 你姓＿＿＿？

(4) 他叫＿＿＿名字？

(5) 你的漢語老師住在＿＿＿？

(6) 她是＿＿＿？

(7) 你是＿＿＿國人？

(8) 你家有＿＿＿口人？

(9) 你每天＿＿＿上學？

(10) 你有＿＿＿個兄弟姐妹？

(11) 你媽媽會說漢語＿＿＿？

(12) 你哥哥＿＿＿了？（二十六歲）

(13) 你去過＿＿＿國家？

(14) 你家有＿＿＿？

(15) 你爸爸做＿＿＿工作？

(16) 你媽媽在＿＿＿工作？

(17) 你每天＿＿＿點上學？

(18) 你在＿＿＿個學校上學？

(19) 你妹妹今年＿＿＿歲了？（六歲）

(20) 你上＿＿＿年級？

(21) 現在＿＿＿點了？

(22) 你坐＿＿＿點的火車去南京？

(1) 你每天幾點上學？

(2) 你怎麼上學？

(3) 你幾點放學回家？

(4) 你喜歡你的學校嗎？

(5) 你爸爸、媽媽工作嗎？

(6) 他們怎麼上班？

(7) 你媽媽會開車嗎？

(8) 你坐過船嗎？

(9) 你會騎自行車嗎？

(10) 你騎過馬嗎？

(11) 你的錶現在幾點了？

(12) 你喜歡看英文書還是中文書？

6   Translation.

(1) I am taller than my younger brother.

(2) My elder brother is even taller.

(3) My father is the tallest.

(4) Trains are faster than cars.

(5) He is the tallest in the class.

(6) From 6:00 am to 7:00 am , I eat breakfast.

(7) My father first takes the train, and then walks to work everyday.

7   Translation.

(1) 去北京的飛機

(2) the express train to Shanghai

(3) 來香港的船

(4) the slow train to Nanjing

(5) 騎自行車的小孩兒

(6) the boy who can ride a bicycle

(7) 喜歡看書的同學

(8) the students who are going to America

8   Reading comprehension.

　　小紅和哥哥都是小學生,在同一個小學上學。小紅今年八歲,上小學三年級。哥哥今年十歲,上小學五年級。他們每天早上七點半先走路,然後坐校車上學。小紅很喜歡寫毛筆字,她每天都寫毛筆字。哥哥最喜歡騎馬,他每個星期六上午都去騎馬。他們都喜歡看書。

Answer the questions.

(1) 小紅今年幾歲了?

(2) 小紅的哥哥今年上幾年級?

(3) 他們兩個人每天幾點上學?

(4) 他們怎麼上學?

(5) 小紅喜歡做什麼?

(6) 她哥哥喜歡不喜歡騎馬?

(7) 他們在同一個學校上學嗎?

(8) 誰喜歡看書?

詞彙表

A

ān	安	safe
ào	澳	inlet of the sea; bay
àodàlìyà	澳大利亞	Australia

B

bā	八	eight
bāhào	八號	the 8th
bā	巴	hope earnestly
bāxī	巴西	Brazil
bàba	爸爸	dad; father
bái	白	white
bān	班	class; shift
bàn	半	half
bāo	包	packet; bag
běi	北	north
běijīng	北京	Beijing
běiměizhōu	北美洲	Continent of North America
běn	本	root; origin
bí	鼻	nose
bízi	鼻子	nose
bǐ	筆	pen
bǐyǒu	筆友	penpal
bǐ	比	compare
biǎo	錶	meter; watch
bù	不	not; no
búcuò	不錯	not bad

C

cài	菜	vegetable; dish
cháng	長	long
chǎng	廠	factory
chē	車	vehicle
chéng	程	rule; order
chī	吃	eat
chīfàn	吃飯	eat; have a meal
chī zǎofàn	吃早飯	eat breakfast
chī wǔ/zhōngfàn	吃午／中飯	eat lunch
chī wǎnfàn	吃晚飯	eat dinner
chū	出	out; exit

chūshēng	出生	be born
chūzhū(qì)chē	出租（汽）車	taxi
chuán	船	boat; ship
chūn	春	spring
chūnjié	春節	the Chinese New Year
cóng	從	from
cóng...dǎo...	從……到……	from... to...
cuò	錯	mistake; bad

D

dà	大	big
dà dìdi	大弟弟	big younger brother
dàgē	大哥	eldest brother
dàxiàng	大象	elephant
dàxuéshēng	大學生	university student
dàyángzhōu	大洋洲	Australasia; Oceania
dàifu	大夫	doctor
dàn	但	but; yet
dànshì	但是	but
dào	到	arrive; until
de	的	of; 's
dé	德	morals; virtue
déguó	德國	Germany
déyǔ	德語	German
děng	等	etc.; rank; wait
dìdi	弟弟	younger brother
dì	地	earth; fields; ground
dìfang	地方	place
dìtiě	地鐵	underground
diǎn	點	dot; point; o'clock
diàn	電	electricity
diànchē	電車	tram
diàn	店	shop; store
dōng	東	east
dōngjīng	東京	Tokyo
dōng	冬	winter
dōu	都	all; both
duō	多	more; many
duō dà	多大	how old

E

| ér | 兒 | child; son; suffix |

érzi	兒子 son	gǔ	古 ancient
ěr	耳 ear	guāng	光 light; smooth
èr	二 two	guǎng	廣 broad
èrgē	二哥 second eldest brother	guǎngdōng	廣東 Guangdong, a province in China
		guǎngdōnghuà	廣東話 Cantonese

F

fǎ	法 law; method	guó	國 country; kingdom
fǎguó	法國 France	guójiā	國家 country
fǎyǔ	法語 French	guò	過 pass; cross over; particle
fà	髮 hair		
fàn	飯 cooked rice; meal		
fàndiàn	飯店 restaurant; hotel		**H**
fāng	方 square; direction	hái	還 also; fairly
fāngyán	方言 dialect	hái kěyǐ	還可以 OK; pretty good
fàng	放 let go	háishi	還是 or
fàngxué	放學 finish school	hái	孩 child
fēi	飛 fly	háizi	孩子 child; children
fēijī	飛機 plane	hǎi	海 sea
fēi	非 wrong; not; no	hàn	漢 the Han nationality
fēizhōu	非洲 Africa	hànyǔ	漢語 Chinese
fēn	分 minute	háng	行 profession; business firm
fū	夫 husband; man	hǎo	好 good; well
fù	婦 woman	hǎo jǐ zhǒng	好幾種 several kinds of
fú	服 clothes; serve	hào	號 number; date
fúwù	服務 service	hé	和 and
fúwùyuán	服務員 attendant	hěn	很 very; quite
		hěnduō	很多 many
		hěnhǎo	很好 very good; very well
	G	hóng	紅 red
		hóngbāo	紅包 red packet
gǎng	港 harbour	hòu	後 behind; back
gāo	高 high; tall	hú	胡 surname
gēge	哥哥 elder brother	hù	護 protect
gè	個 measure word (general)	hùshi	護士 nurse
gèzi	個子 height; build	huà	畫 draw; paint
gěi	給 give; for	huà	話 word; talk
gèng	更 even more	huān	歡 merry
gèng kuài	更快 quicker	huī	灰 grey
gōng	工 work	huí	回 return
gōngchǎng	工廠 factory	huíjiā	回家 go home
gōngchéngshī	工程師 engineer	huì	會 can; meeting; party
gōngzuò	工作 work	huǒ	火 fire
gōng	公 public	huǒchē	火車 train
gōnggòng	公共 public		
gōnggòng qìchē	公共汽車 public bus		
gōngsī	公司 company		**J**
gōng	弓 bow		
gòng	共 common; general	jī	機 machine; engine
		jí	級 grade

jǐ	幾	how many; several
jǐ diǎn	幾點	what time
jǐ hào	幾號	what date
jǐ kǒu rén	幾口人	how many members in the family?
jǐ suì	幾歲	how old
jǐ yuè	幾月	which month
jǐ	己	oneself
jì	季	season
jiā	加	add
jiānádà	加拿大	Canada
jiā	家	family; home
jiātíng	家庭	family
jiātíng zhǔfù	家庭主婦	housewife
jiān	尖	tip; pointed; sharp
jiàn	見	see
jiào	叫	call
jié	節	festival; knot; section
jiějie	姐姐	elder sister
jiè	界	boundary; scope
jīn	今	today
jīnnián	今年	this year
jīntiān	今天	today
jīng	京	capital
jīng	經	manage
jīnglǐ	經理	manager
jiǔ	酒	alcoholic drink; wine
jiǔdiàn	酒店	hotel
jiǔ	九	nine

K

kǎ	卡	card
kāi	開	drive; open; manage
kāichē	開車	drive a car
kāikǒu	開口	open one's mouth
kàn	看	see; look; watch
kànshū	看書	read a book
kě	可	can; may
kěshì	可是	but
kěyǐ	可以	can; pretty good
kè	刻	a quarter (of an hour)
kǒu	口	measure word; mouth
kuài	快	quick; fast
kuàichē	快車	express train or bus
kuài	筷	chopsticks

L

lái	來	come
lǎo	老	old
lǎoshī	老師	teacher
le	了	particle
lǐ	裏	inside
lǐ	理	manage; natural science
lǐ	李	plum; surname
lì	力	power; strength
lìqi	力氣	physical strength
lì	歷（曆）	experience; calendar
lìshǐ	歷史	history
lì	利	sharp; advantage; benefit
liǎng	兩	two
liǎngdiǎn líng wǔfēn	兩點零五分	five past two
liǎng ge dìdi	兩個弟弟	two younger brothers
líng	零	zero
liù	六	six
lù	路	road; journey
lù	律	law; rule
lùshī	律師	lawyer
lùshīháng	律師行	law firm

M

mǎ	馬	horse; surname
mǎláixīyà	馬來西亞	Malaysia
ma	嗎	particle
māma	媽媽	mum; mother
màn	慢	slow
mànchē	慢車	slow train
máo	毛	hair; wool
máobǐ	毛筆	writing brush
méi	沒	no
méiyǒu	沒有	not have; there is not
měi	美	beautiful
měiguó	美國	U.S.A.
měi	每	every
měitiān	每天	every day
mèimei	妹妹	younger sister
men	們	plural suffix
mén	門	door
mì	秘	secret
mìshū	秘書	secretary
míng	明	bright; clear
míngtiān	明天	tomorrow

míng	名	name
míngzi	名字	(given) name
mù	木	tree; wood
mù	目	eye

N

ná	拿	take
nà	那	that
nǎ	哪	which; what
nǎ guó rén	哪國人	what nationality
nǎi	奶	milk; grandmother
nǎinai	奶奶	grandmother
nán	南	south
nánfēi	南非	South Africa
nán měizhōu	南美洲	Continent of South America
nán	男	male
nǎr	哪兒	where
ne	呢	particle
nǐ	你	you
nǐhǎo	你好	hello
nǐhǎo ma	你好嗎	how are you
nǐ ne	你呢	how about you
nǐzǎo	你早	good morning
nián	年	year
niánjí	年級	grade; year
nín	您	you (respectfully)
nínhǎo	您好	hello
nínzǎo	您早	good morning
nǚ	女	female
nǚshì	女士	Ms.; lady
nǚ'ér	女兒	daughter

O

ōu	歐	Europe; surname
ōuzhōu	歐洲	Europe

P

péng	朋	friend
péngyou	朋友	friend
pǔ	普	general; universal
pǔtōnghuà	普通話	Putonghua

Q

qī	七	seven
qīdiǎn bàn	七點半	half past seven
qī kǒu rén	七口人	seven members in the family
qī	期	a period of time
qí	騎	ride
qímǎ	騎馬	ride a horse
qí zìxíngchē	騎自行車	ride a bicycle
qí	齊	in order; together
qì	汽	vapour; steam
qìchē	汽車	car; motor vehicle
qì	氣	gas; air
qīn	親	parent; relative
qīnpéng hǎoyǒu	親朋好友	close friends
qiū	秋	autumn
qù	去	go
qù guo	去過	have been to
quán	全	whole
quánjiā	全家	the whole family

R

rán	然	right
ránhòu	然後	then; after that
rén	人	person; people
rénkǒu	人口	population
rì	日	sun; day
rìběn	日本	Japan
rìběnrén	日本人	Japanese
rìyǔ	日語	Japanese

S

sān	三	three
shān	山	mountain
shānlǐ	山裏	in the mountains
shāng	商	trade; business
shāngrén	商人	businessman
shàng	上	up; previous; attend
shàngbān	上班	go to work
shànghǎi	上海	Shanghai
shàng wǔniánjí	上五年級	in Grade 5
shàngwǔ	上午	morning
shào	少	young
shēn	身	body

shēnxīn	身心	body and mind
shénme	什麼	what
shēng	生	bear; grow
shēngrikǎ	生日卡	birthday card
shī	師	teacher; master
shí	十	ten
shíyī diǎn sānkè	十一點三刻	eleven forty-five
shíyī diǎn yíkè	十一點一刻	a quarter past eleven
shíyuè	十月	October
shí'èr suì	十二歲	twelve years old
shǐ	史	history
shì	世	lifetime; world
shìjiè	世界	world
shìjièshang	世界上	in the world
shì	士	scholar
shì	是	be
shǒu	手	hand
shū	書	book; write; script
shuí	誰	who
shuǐ	水	water
shuō	說	speak; talk; say
sī	司	take charge of
sījī	司機	driver
sì	四	four
sì diǎn	四點	four o'clock
suì	歲	year of age

T

tā	他	he; him
tā	她	she; her
tāmen	他們	they; them
tài	太	too
tàitai	太太	Mrs.; madame
tiān	天	sky; day
tiāntiān	天天	every day
tián	田	field
tiě	鐵	iron
tíng	庭	front; courtyard
tōng	通	open; through
tóng	同	same; like
tóngxué	同學	schoolmate
tóu	頭	head
tǔ	土	soil

W

wǎn	晚	evening; late
wǎnshang	晚上	evening
wáng	王	king; surname
wén	文	word; literature
wèn	問	ask
wǒ	我	I; me
wǒde	我的	my; mine
wǒmen	我們	we; us
wū	烏	black; dark
wú	吳	surname
wǔ	五	five
wǔ	午	noon
wù	務	affair; business

X

xī	西	west
xī'ān	西安	Xi'an
xǐ	喜	happy; like
xǐhuan	喜歡	like; be fond of
xià	下	below; next; get off
xiàbān	下班	go off work
xiàwǔ	下午	in the afternoon
xià	夏	summer
xiān	先	first of all
xiānsheng	先生	Mr.; husband; teacher
xiān..., ránhòu...	先……，然後……	first..., then...
xiàn	現	present
xiànzài	現在	now
xiāng	香	fragrant
xiānggǎng	香港	Hong Kong
xiǎng	想	think; want to; would like to
xiàng	象	elephant
xiǎo	小	small; little
xiǎo dìdi	小弟弟	little younger brother
xiǎoxuéshēng	小學生	primary school student
xiào	校	school
xiàochē	校車	school bus
xiào	笑	smile; laugh
xiě	寫	write
xiè	謝	thank
xièxie	謝謝	thanks
xīn	心	heart
xīng	星	star

xīngqī	星期 week	
xīngqīyī	星期一 Monday	
xīngqījǐ	星期幾 what day of the week	
xīngqīrì / tiān	星期日 / 天 Sunday	
xíng	行 go; travel	
xìng	姓 surname	
xiōng	兄 elder brother	
xiōngdì jiěmèi	兄弟姐妹 brothers and sisters	
xué	學 study	
xuésheng	學生 student	
xuéxiào	學校 school	

Y

yá	牙 tooth
yà	亞 second; Asia
yàzhōu	亞洲 Asia
yán	言 speech; say
yáng	洋 ocean
yé	爺 grandfather
yéye	爺爺 grandfather
yě	也 also; as well
yī	一 one
yìdiǎnr	一點兒 a little bit
yí ge gē ge	一個哥哥 one elder brother
yìjiārén	一家人 one family
yìnián sìjì	一年四季 throughout the year
yìqí	一齊 together
yī	醫 medicine
yīshēng	醫生 doctor
yīyuàn	醫院 hospital
yǐ	以 use; take
yǐhòu	以後 after
yín	銀 silver
yínháng	銀行 bank
yínhángjiā	銀行家 banker
yīng	英 hero
yīngguó	英國 Britain
yīngguórén	英國人 the British
yīngyǔ	英語 English
yòng	用 use
yǒu	有 have; there is
yǒu	友 friend
yòu	右 right
yǔ	語 language
yǔyán	語言 language
yuán	員 member
yuàn	院 courtyard

yuè	月 the moon; month
yún	雲 cloud

Z

zài	再 again
zàijiàn	再見 good-bye
zài	在 in; on
zǎo	早 early; morning
zǎoshang	早上 early morning
zěn	怎 why; how
zěnme	怎麼 how
zhāng	張 surname; measure word
zhǎng	長 grow; senior; eldest
zhǎngdà	長大 grow up
zhàng	丈 a form of address
zhàngfu	丈夫 husband
zhè	這 this
zhōng	中 middle; centre
zhōngguó	中國 China
zhōngguórén	中國人 Chinese
zhōngwén	中文 the Chinese language
zhōngwǔ	中午 noon
zhōngxuéshēng	中學生 secondary school student
zhǒng	種 type; race; seed
zhōu	洲 continent
zhú	竹 bamboo
zhúkuài	竹筷 bamboo chopsticks
zhǔ	主 major
zhù	住 live; reside
zǐ	子 son
zì	自 self; oneself
zìjǐ	自己 oneself
zìxíngchē	自行車 bicycle
zì	字 character; word
zǒu	走 walk
zǒulù	走路 walk
zū	租 rent; hire
zú	足 foot
zuì	最 most
zuìkuài	最快 the fastest
zuó	昨 yesterday
zuótiān	昨天 yesterday
zuò	坐 travel by; sit
zuò xiàochē	坐校車 take the school bus
zuǒ	左 left
zuò	做 make; do
zuò	作 do; work